Petits Classiques
LAROUSSE

Collection [...]
Agrégé d[...]

Gilgamesh

épopée

Adaptation, présentation et commentaires
par Alain MIGÉ,
docteur ès lettres

Direction de la collection : Carine GIRAC-MARINIER
Direction éditoriale : Jacques FLORENT
Édition : Marie-Hélène CHRISTENSEN
Lecture-correction : service lecture-correction LAROUSSE
Direction artistique : Uli MEINDL
Couverture et maquette intérieure : Serge CORTESI, Sophie RIVOIRE, Uli MEINDL
Mise en page : Monique BARNAUD, JOUVE, SARAN
Responsable de fabrication : Marlène DELBEKEN

ISBN : 978-2-03-586806-0

SOMMAIRE

Avant d'aborder l'œuvre

Pour approfondir

O animal que se tornou um deus
Há 70 mil anos, o Homo Sapiens
ainda era um animal insignificante.
Nos milênios seguintes, ele se
transformou no senhor de todo
o planeta e no terror do
ecossistema.
Yuval Noah Harari.

AVANT D'ABORDER L'ŒUVRE

...É por isso que o Projeto Gilgamesh é o mais importante da ciência. Serve para justificar tudo que a ciência faz. O Dr. Frankenstein pega carona nos ombros de Gilgamesh. Uma vez que é impossível deter Gilgamesh, também é impossível deter Frankenstein.

Yuval Noah Harari.

A epopeia de Gilgamesh é um antigo poema épico mesopotâmico, escrito pelos sumérios em algum momento em torno de 2000 a.C.
Essa história narra os feitos de Gilgamesh, rei de Uruk, em sua procura pela imortalidade.
Ela é considerada a obra de literatura mais antiga da humanidade.

Fiche d'identité de l'auteur de *Gilgamesh*

Nom : incertain. Peut-être un prêtre assyrien dont le nom ou le surnom aurait été Sin-lege-unninni, ce qui signifie en assyro-babylonien : « Ô dieu Sin [le dieu-lune] accepte ma supplication ».

Date de naissance : inconnue. On sait seulement, sans plus de précisions, que ce prêtre (s'il est bien l'auteur de *Gilgamesh*) vécut vers 1200 avant Jésus-Christ.

Lieu de résidence : Ourouk (aujourd'hui Warka), en basse Mésopotamie, sur la rive gauche de l'Euphrate, en Irak actuel.

Langue utilisée : ancien babylonien ou assyro-babylonien.

Profession : ce prêtre aurait été un prêtre exorciste, c'est-à-dire chargé de combattre les démons et les puissances du mal.

Œuvre : *Gilgamesh*. Il existe d'autres textes, plus ou moins fragmentaires, qui évoquent le personnage de Gilgamesh. Mais on ne connaît pas leurs auteurs.

Signe particulier : l'auteur aurait fixé par écrit et unifié plusieurs récits (oraux ou déjà écrits ?) sumériens remontant à la fin du IIIe millénaire avant notre ère. Il est difficile de discerner la part de la tradition dont il hérite de celle de son imagination propre. Ce qui est en revanche certain, c'est qu'il usait d'une écriture dite « cunéiforme », c'est-à-dire constituée de signes en forme de fer de lance ou de clous, diversement combinés. C'est pourquoi il écrivait sur des tablettes d'argile, les mieux à même, une fois sèches, de conserver la gravure de ces signes. Les tablettes de *Gilgamesh* proviennent de la bibliothèque du roi Assourbanipal (vers 669-627 avant Jésus-Christ). Elles ont été retrouvées lors de fouilles archéologiques entreprises à la fin du XIXe siècle sur le site de Ninive. Elles sont aujourd'hui conservées au British Museum de Londres.

Gilgamesh maîtrisant un lion d'après un haut relief du palais de Sargon II à Khorsabad (VIIIe siècle avant J.-C.).

Repères chronologiques

Gilgamesh *dans l'ancien Proche-Orient*	*Événements politiques et culturels*
Fin du IVe millénaire av. J.-C. Développement d'Ourouk, qui donne son nom à une civilisation urbaine.	**IVe millénaire av. J.-C.** Installation des Sumériens (peuple d'origine mal connue) en basse Mésopotamie. Naissance des premières cités-États.
Vers 3000 av. J.-C. Apparition de l'écriture cunéiforme (faite de signes en forme de clous et de coins).	**Vers 3000 av. J.-C.** En Égypte, apparition de l'écriture hiéroglyphique. Fondation de Troie sur la côte occidentale de l'actuelle Turquie.
Vers 2700-2500 av. J.-C. Première dynastie sumérienne d'Ourouk, dont descendra Gilgamesh.	**Vers le milieu du IIIe millénaire av. J.-C.** Fondation de Babylone (au sud-est de Bagdad) qui deviendra le centre intellectuel et religieux de la Mésopotamie.
Vers la fin du IIIe millénaire av. J.-C. Règne de Gilgamesh.	
Vers 2000-1600 av. J.-C. Cinq récits sumériens, plus ou moins lacunaires, chantent les exploits d'un héros nommé Gilgamesh.	**Fin du IIIe millénaire av. J.-C.** Les Akkadiens supplantent politiquement les Sumériens.
Début du IIe millénaire av. J.-C. Rédaction du *Poème de Gilgamesh* par un Babylonien.	**IIe millénaire av. J.-C.** Suprématie de Babylone.
IIe–Ie millénaire av. J.-C. Circulation dans le Proche-Orient, sous diverses versions, du *Poème de Gilgamesh*, jusqu'en Palestine et en Anatolie.	**Vers 1250 av. J.-C.** Chute de Troie.
Vers 1200 av. J.-C. Fixation du texte, dit « standard », assyro-babylonien de l'épopée de *Gilgamesh*.	**Xe siècle av. J.-C.** Construction du Temple de Salomon, à Jérusalem.
	VIIIe siècle av. J.-C. Grec d'Asie, Homère compose *l'Iliade* et *l'Odyssée*.

Repères chronologiques

Gilgamesh *dans l'ancien Proche-Orient*	*Événements politiques et culturels*
	753 av. J.-C. Fondation légendaire de Rome par Romulus.
VIIe siècle av. J.-C. La bibliothèque du roi Assourbanipal (v. 669-627), à Ninive, contient une version ninivite de *Gilgamesh*. Les tablettes en sont conservées à Londres, au British Museum.	
	Fin du VIIe siècle av. J.-C. Apparition de l'alphabet latin. En Palestine, mise par écrit de la Genèse, premier « livre » de la Bible.
	612 av. J.-C. Chute de Ninive et fin de l'Empire assyrien.
	VIe siècle av. J.-C. Le « tyran » Pisistrate, mort en 527, crée à Athènes la première bibliothèque publique. Il aurait fait établir la première copie de *l'Iliade*.
	587 av. J.-C. Destruction du Temple de Jérusalem par les Babyloniens.
	539 av. J.-C. Chute de Babylone, prise par les Perses.
Au total, le nom et les exploits de Gilgamesh ont été connus et répandus pendant près de 25 siècles, avant notre ère.	**IIIe et IIe siècles av. J.-C.** Première traduction de la Bible en grec.

Fiche d'identité de l'œuvre

Gilgamesh

Auteur : incertain. Peut-être le prêtre assyrien Sin-lege-unninni.

Forme : la forme originale est un récit en vers. Cette édition propose une adaptation en prose.

Genre : épopée.

Structure : douze tablettes d'argile de six colonnes contenant chacune une cinquantaine de lignes. Il subsiste environ 1 600 lignes à peu près intégrales. Le reste est très fragmentaire ou effacé et, dans bien des cas, impossible à reconstituer.

Principaux personnages :

- **Gilgamesh** : roi tyrannique d'Ourouk, il en est aussi le plus important bâtisseur. Il est le premier homme à posséder la plante qui procure l'éternité, avant de la perdre et de se résigner à mourir un jour.

- **Enkidou** : il vit longtemps comme un sauvage dans la steppe et au milieu des animaux. Rival puis ami de Gilgamesh, il part avec lui combattre le géant Houmbaba. Sa mort désespère Gilgamesh.

- **Houmbaba** : ce redoutable géant, que jamais personne n'a affronté, est le gardien de la Forêt des Cèdres. Il incarne tout à la fois l'esprit de la Forêt et celui du Mal.

- **Ishtar** : fille du dieu Anou, elle tente en vain de séduire Gilgamesh. Vexée, elle obtient de l'assemblée des dieux que meurent, en premier, Enkidou et, plus tard, Gilgamesh.

- **Out-Napishtim** : ce lointain ancêtre de Gilgamesh est le seul rescapé du Déluge.

- **Our-Shanabi** : matelot et serviteur d'Out-Napishtim, il aide Gilgamesh à traverser les « eaux de la mort ».

Sujet : désirant accomplir un exploit, Gilgamesh part avec son ami Enkidou combattre le géant Houmbaba. Tous deux le tuent. La déesse Ishtar promet fortune et puissance à Gilgamesh si celui-ci accepte de devenir son amant. Le refus de Gilgamesh suscite sa colère et son désir de vengeance. Elle fait d'abord mourir Enkidou. Saisi de douleur, Gilgamesh part à la quête de l'immortalité. Il la découvre sous la forme d'une plante marine, qu'un serpent finit par lui voler. Il n'est donc d'immortalité que dans le souvenir qu'on laisse dans la mémoire des hommes.

Petit panthéon des dieux mésopotamiens

Adad : dieu de l'Orage et de la Pluie.

Arourou : c'est la déesse-mère, qui, avec le dieu Ea, a créé le genre humain. Elle est encore appelée la Grande Dame ou la Grande Déesse.

Ea : dieu créateur, avec la déesse Arourou, du genre humain.

Anou : le maître suprême de l'univers, époux de la déesse Antou, père de la déesse Isthar et du dieu Enlil.

Antou : épouse du dieu Anou et mère de la déesse Isthar ainsi que du dieu Enlil.

Enlil : dieu du Vent, « maître des mondes », il est aussi le père des dieux.

Ishtar : fille d'Anou et d'Antou, séductrice, vindicative et cruelle.

Ninourta : dieu de la Vaillance et de la Guerre

Shamash : dieu-soleil, protecteur de Gilgamesh.

Soumouqan : fils de Shamash et dieu des Troupeaux.

Ninsoun la bufflonne : mère de Gilgamesh.

Lougalbanda : père de Gilgamesh.

Anzou : dieu de la Mort.

Wêr : dieu du Mal, dont le géant Houmbaba est le protégé.

Irkalla : une des déesses des Enfers.

Ereshkigal : la reine des Enfers.

Bêlet-Çêri : la secrétaire de la reine des Enfers.

Les Announaki : au nombre de 600, ce sont des dieux auxiliaires.

Pour mieux lire l'œuvre

✣ L'épopée de Gilgamesh

La structure de l'œuvre

Sept épisodes, précédés d'un prologue, en constituent la trame. Le prologue fait l'éloge de Gilgamesh, roi d'Ourouk. Au début, pourtant, celui-ci se comporte comme un tyran. Pour soulager son peuple, les dieux lui suscitent un rival, en la personne du vaillant Enkidou. Les deux hommes s'affrontent en un terrible combat, à l'issue duquel ils deviennent amis (premier épisode). Avides de gloire, soucieux d'accomplir un exploit mémorable, tous deux décident d'aller combattre le terrible géant Houmbaba, qu'ils finissent par vaincre et tuer (deuxième épisode). Ivres de leur victoire, ils commettent un sacrilège que les dieux sanctionnent immédiatement en programmant leur mort (troisième épisode). Enkidou meurt le premier, au grand désespoir de Gilgamesh, qui comprend qu'un jour son tour viendra (quatrième épisode). Ne voulant toutefois pas mourir, Gilgamesh se met à la recherche de ce qui pourrait lui procurer l'immortalité. Au cours de cette quête aux aspects fantastiques, il rencontre Out-Napishtim, l'un de ses ancêtres et seul survivant du Déluge (cinquième épisode). Apprenant l'existence d'une plante censée donner la vie éternelle à celui qui la possède, Gilgamesh part à la recherche de celle-ci. Il la trouve et s'en empare (sixième épisode), puis la perd par mégarde. Gilgamesh comprend alors que tout homme est destiné à mourir (septième épisode).

Du personnage historique à la légende

Selon des documents datant de l'époque sumérienne, Gilgamesh a véritablement existé : il fut, vers 2500 avant Jésus-Christ, le cinquième roi de la première dynastie d'Ourouk. Grandeur et autoritarisme semblent avoir marqué son règne. D'un côté, il agrandit et embellit Ourouk au point d'en faire un des hauts lieux de la civilisation sumérienne. Mais, d'un autre côté, il en terrorisa les habitants.

D'emblée, l'épopée transforme ce personnage historique en un héros de légende. Sa naissance est merveilleuse, sa beauté et sa force sont exceptionnelles. Et il finit par incarner le sage par excellence. Au terme de son extraordinaire voyage, il est celui qui a tout vu et tout appris.

L'écho des préoccupations et des angoisses humaines

Pourquoi faut-il mourir ? Qu'y a-t-il après la mort ? Ces questions ne cessent de hanter l'esprit humain. Il y a quatre mille ans, l'auteur de *Gilgamesh* y a apporté sa propre réponse. Elle est à la fois désenchantée et pleine de sagesse. Les dieux, écrit-il, ont gardé pour eux et pour eux seuls le privilège de l'immortalité. Les humains ne pourront jamais y prétendre. Ce qu'ils sont et ce qu'ils font est voué à la disparition. S'il existe une immortalité, elle se résume aux traces laissées dans l'Histoire, aux souvenirs que les générations futures conserveront. En attendant, il convient de profiter du peu de temps que dure toute existence. S'interroger sur la mort conduit ainsi à s'interroger sur la vie. Toute existence étant brève, même si elle dure cent ans, comment faut-il vivre ? Comment se comporter ? Quel bonheur rechercher ? En ce sens, *Gilgamesh* n'est pas une œuvre désespérante : elle renferme au contraire une véritable leçon de vie.

Gilgamesh, Homère et la Bible

L'épopée de Gilgamesh a exercé une indéniable influence sur *l'Iliade* et *l'Odyssée*, les deux grandes épopées grecques composées par Homère au VIIIe siècle avant notre ère. Voici quelques rapprochements significatifs. Le désespoir de Gilgamesh à la mort d'Enkidou annonce celui d'Achille à la mort de Patrocle, dans l'*Iliade*. Leurs armes sont également somptueuses et extraordinaires. Le voyage de Gilgamesh préfigure celui d'Ulysse dans *L'Odyssée*. La déesse Ishtar promet le bonheur et l'immortalité à Gilgamesh tout comme la nymphe Calypso les promet à Ulysse. Le bosquet des dieux où

Pour mieux lire l'œuvre

la cabaretière Sidouri tient sa taverne et où les arbres portent des fruits en pierres précieuses fait songer au jardin des Hespérides réservé aux dieux grecs, où les pommes sont en or.

Les influences de l'épopée sur la Bible et notamment sur l'Ancien Testament ne sont pas moins évidentes. Enkidou est par exemple façonné avec de l'argile, comme Adam dans la Genèse. Ici et là, c'est un serpent qui prive les hommes de l'éternité. Nous y lisons quasiment la même description du Déluge ; Out-Napishtim agit comme plus tard le fera Noé.

L'essentiel

L'épopée de *Gilgamesh* est sans doute une des plus anciennes épopées de l'humanité : c'est en tout cas la plus ancienne de tout le Moyen-Orient. Pendant près de deux mille ans, jusqu'au début de l'ère chrétienne, elle y connut une très vaste diffusion. Elle élève au rang de héros légendaire un souverain d'Ourouk qui a véritablement existé. Elle fait de lui l'homme qui ne comprend pas pourquoi il doit mourir et qui est donc en quête d'immortalité. L'épopée devient ainsi une réflexion sur le sens de la vie. Son influence fut considérable dans tout le Moyen-Orient.

Gilgamesh,
l'homme qui ne voulait pas mourir

épopée

L'ŒUVRE L'ŒUVRE

Prologue

Moi, Sin-lege-unninni, prêtre exorciste[1] d'Ourouk[2], je veux chanter celui qui a tout vu, qui a tout connu, qui possède la sagesse universelle : Gilgamesh, roi et seigneur d'Ourouk. Il a voyagé dans le temps et dans l'espace. Il sait même ce qui s'est passé avant le
5 Déluge[3]. De retour dans son royaume, il a fait bâtir les puissants remparts d'Ourouk, qu'aucune enceinte d'aucune ville d'aucun pays n'égale ! Et ses exploits, il les a fait graver dans la pierre. Et cette pierre, il l'a déposée dans le saint temple du dieu Anou, construit sur son ordre. Lis, écoute les exploits du plus grand des
10 rois. Ils t'émerveilleront, te terroriseront, et te livreront le secret de toute existence. Car Gilgamesh t'enseignera une part de sa sagesse, celle qui permet à tout homme de vivre heureux.

1. **Exorciste :** personne chargée de faire fuir les démons.
2. **Ourouk :** ancienne ville sumérienne (aujourd'hui Warka), de basse Mésopotamie, sur la rive gauche de l'Euphrate (Irak actuel).
3. **Déluge :** le Déluge, ici et dans la Bible, est la submersion de la terre par de gigantesques eaux de pluie.

Chapitre 1

Le tyran d'Ourouk

Gilgamesh était roi d'Ourouk, une ville de Mésopotamie[1]. C'était une ville puissante et prospère. Des murailles circulaires, les plus hautes et les plus épaisses jamais construites, la protégeaient de toute attaque ennemie. Sa superficie était immense : mille hectares !

Jardins et vergers en occupaient environ le tiers. Au printemps et en été, à perte de vue, s'étalait un paysage multicolore : le jaune des citronniers, le jaune-rouge des orangers, le vert des oliviers, le brun des dattes, le rouge des champs de tomates, le jaune-vert des pastèques, l'or du blé. Sous le ciel toujours bleu de l'ancien Orient paissaient des troupeaux de vaches, de moutons, de buffles. Ah ! On ne mourait pas de faim à Ourouk ! Mais, du matin au soir, il fallait travailler dur !

Les argilières[2] qui s'étendaient sur un autre tiers des mille hectares offraient un panorama moins séduisant. C'était une multiplicité de petites carrières à ciel ouvert. Dans la poussière sèche de l'été ou dans la boue gluante de l'automne, des ouvriers presque nus en extrayaient des blocs d'argile. Transportés à dos d'homme dans des grosses hottes d'osier jusqu'aux fours des potiers, ces blocs, de dix, quinze kilos, une fois taillés, cuits, devenaient de la bonne brique rouge.

Toute la ville, sur le dernier tiers de ces mille hectares, était bâtie avec ce matériau. Les maisons ne se ressemblaient pas pour autant. Celles des quartiers les plus pauvres étaient en brique bon marché, de moins bonne qualité. La sécheresse, fréquente dans la région, en fissurait parfois les façades. Cela n'empêchait pas les enfants de courir dans les ruelles ni les artisans de travailler dans leurs échoppes[3] : des forgerons pour la fabrication des armes et des

---

1. **Mésopotamie :** région située entre l'Euphrate et le Tigre, et correspondant en majeure partie à l'actuel Irak.
2. **Argilières :** terrains d'où l'on extrait de l'argile.
3. **Échoppes :** petites boutiques construites en matériau léger.

outils, des vanniers pour le tressage des paniers en osier, des tanneurs pour le cuir, des huiliers pour la fabrication d'huile d'olive, des boulangers... Ces quartiers populaires étaient pleins de vie et de bruits. Ça sentait le bois brûlé, les galettes de pain et les épices. Les quartiers résidentiels étaient à l'écart, sur les hauteurs des collines. Là régnaient le silence et le luxe, surtout près du palais royal.

Gilgamesh aimait certains soirs contempler son royaume du haut des remparts. Jamais roi, avant lui, n'en avait possédé un aussi beau ; jamais roi, après lui, n'en aurait assurément un aussi magnifique. Au loin, les voiles blanches des felouques[1] descendaient lentement le majestueux fleuve Euphrate[2]. Oui, Gilgamesh était heureux d'être roi d'Ourouk.

Mais il était bien le seul, avec peut-être quelques courtisans de son âge. Gilgamesh terrorisait en effet son peuple. Il était aussi orgueilleux que brutal. Il se considérait comme le maître absolu de la vie et des biens de ses sujets. Ce qui était à eux devait être à lui. Une étoffe brodée lui plaisait-elle ? Il la prenait. Les meubles en bois sculpté, il les emportait. La vaisselle d'or et d'argent, il la volait. Sa cupidité était sans limites. Sa violence aussi : quiconque lui résistait était abattu sur-le-champ. Il provoquait les jeunes gens en combat singulier pour le seul plaisir de les tuer. Les vieillards étaient pour lui des bouches inutiles, dont il se débarrassait d'un grand coup d'épée et dans un grand éclat de rire. Gilgamesh ne respectait pas davantage les femmes. Dès que l'une d'elles lui plaisait, il la prenait. Il était la loi et la loi, c'était son bon plaisir. Quand il descendait en ville, les rues se vidaient, les portes se fermaient. Maigre précaution et vaine protection ! Sa force physique était telle qu'il défonçait et arrachait tout.

Ourouk, qui aurait pu être un paradis, était ainsi devenue un enfer depuis que Gilgamesh en était le roi. Les gens se lamentaient mais n'osaient se révolter. Qui aurait été assez fou pour le faire ? Les gardes de Gilgamesh, des misérables sans scrupules, réprimaient dans le sang la moindre manifestation. Quant à affronter Gilgamesh lui-même, autant vouloir détourner l'eau de l'Euphrate ou déplacer des montagnes ! C'était un géant, dont

---

1. **Felouques :** petits bateaux à fond plat.
2. **Euphrate :** fleuve qui traverse la Syrie et rejoint le Tigre, en Irak.

personne n'avait pu exactement mesurer la taille : cinq, six ou sept mètres ? D'après les traces qu'ils laissaient sur le sable, ses pieds faisaient au moins un mètre cinquante et ses enjambées avaient une envergure de trois mètres ! Qui aurait pu le vaincre à la course ? Il vous rattrapait aussi vite qu'un tigre s'élance et saute sur un buffle.

En vérité, Gilgamesh était à peine un être humain. Fils du dieu Lougalbanda et de la déesse Ninsoun, la bufflonne[1], il était aux deux tiers un dieu et pour seulement un tiers un homme. Or on ne se révolte pas contre les dieux, on les prie.

Les habitants d'Ourouk supplièrent tant et tant Anou, le maître suprême de l'Univers, que celui-ci en fut touché. Il convoqua une assemblée extraordinaire de toutes les divinités que comptait le ciel. Et ce fut ainsi que le céleste Shamash, le dieu-soleil, qui donne la force, que le dieu de l'Orage qui donne l'esprit héroïque, que le dieu Ea, que la grande déesse-mère Arourou et bien d'autres encore tinrent conseil aux confins de l'univers, bien cachés derrière les nuages.

Le débat fut vif.

Que fallait-il faire en effet ?

Certains dieux refusaient tout net de sanctionner la cruauté de Gilgamesh :

– Les hommes sont nés pour mourir, disaient ils. Alors que ce soit un peu plus tôt ou un peu plus tard...

D'autres en appelaient à la solidarité entre dieux :

– Gilgamesh est comme nous, d'origine divine. Le punir c'est nous punir.

La mère de Gilgamesh menaça des pires vengeances ceux qui voudraient toucher à son fils.

Bref, personne ne voulait prendre la défense des habitants d'Ourouk. Qui étaient-ils après tout pour que les dieux s'intéressent à leur sort ?

Seul le grand Anou ne voulut pas les abandonner :

– Si nous restons insensibles à leurs prières, disait-il, ils cesseront de nous adorer. Et puis je ne peux me montrer ingrat à leur

1. **Bufflonne :** ou bufflesse, femelle du buffle (bœuf sauvage).

égard. Ils m'ont élevé, à moi ainsi qu'à ma fille la déesse Ishtar, un temple splendide, le plus magnifique de toute la Mésopotamie. Je veux qu'on leur vienne en aide.

Le maître suprême avait parlé. L'assemblée des dieux se tut. Chacun attendit sa décision.

– Donnons à Gilgamesh un rival de sa taille, de sa force, de sa résistance ! ordonna-t-il. Tout le temps qu'il passera à se mesurer à lui, il ne le mettra pas à persécuter les habitants d'Ourouk.

C'est ainsi que fut prise la décision de faire naître Enkidou.

Chapitre 2

Naissance d'Enkidou le sauvage

La déesse Arourou, dont la fonction était de créer les humains, se mit aussitôt au travail. Malgré son savoir et son expérience, former Enkidou ne lui fut pas chose facile. C'est que cet Enkidou ne devait pas être un humain comme les autres : presque un dieu sans en être vraiment un, presque un surhomme sans cesser d'être un simple mortel, presque un second Gilgamesh sans être Gilgamesh lui-même. L'affaire était exceptionnelle et s'annonçait donc délicate.

Voici comment s'y prit la déesse. Elle commença par concevoir en son cœur une image du grand Anou. Comme cela, Enkidou ressemblerait à un dieu tout en n'en étant pas un. La déesse travailla ensuite à la manière d'un potier. Trempant régulièrement ses mains dans l'eau, elle pétrit un gros morceau d'argile et sculpta progressivement un corps d'homme : d'abord les jambes, puis le torse et les bras, enfin la tête. Quand la statue d'argile eut complète apparence humaine, la déesse cracha sur elle pour lui insuffler la vie. Alors elle l'abandonna dans la steppe. C'est ainsi qu'en vérité naquit Enkidou, loin de toute famille, de toute habitation, de tout peuple.

Chapitre 2

À force de vivre seul parmi les bêtes sauvages, Enkidou finit par leur ressembler. Son corps était couvert de poils, ses cheveux formaient une longue crinière. Ses habits étaient des peaux de bêtes. Il broutait l'herbe avec les gazelles et buvait l'eau des mares au milieu des buffles, des sangliers ou des cerfs. Son langage se limitait à des cris et à des onomatopées[1]. Mais, à mener cette vie rude et animale, sa force physique devenait comparable à celle de Ninourta, le dieu de la Guerre.

Des années passèrent. Gilgamesh inventait toujours de nouvelles cruautés et les habitants d'Ourouk sombraient dans un désespoir sans fin.

« Qu'allons-nous devenir, se lamentaient-ils, si le grand Anou continue de rester sourd à nos supplications ? »

Comme si un malheur ne pouvait jamais arriver seul, voilà qu'il devenait de plus en plus difficile de chasser. Or pour tous ceux, et ils étaient nombreux, qui ne possédaient pas de troupeaux et qui n'étaient pas assez riches pour s'acheter de la viande, la chasse était le moyen de se procurer de la bonne viande fraîche et gratuite. Mais voilà que les filets que l'on tendait dans les hautes herbes pour capturer lièvres et marcassins[2] étaient de plus en plus en souvent déchirés ou piétinés. Et ce saccage ne pouvait pas être l'œuvre d'un animal ! Comment une bête, si grosse fût-elle, pourrait-elle combler de pierres et de branchages les fosses creusées pour la capture du gros gibier ? Non, c'était l'œuvre d'un esprit méchant, d'un criminel, sans doute la dernière trouvaille de Gilgamesh pour persécuter davantage encore ses sujets.

Un jour, un jeune chasseur, plus inconscient ou plus téméraire que ses camarades, décida d'en avoir le cœur net. Il se posta non loin d'une mare où les animaux avaient l'habitude de venir se désaltérer et où lui-même installait ses pièges. C'était un bon endroit. Les bêtes qui échappaient à ses flèches s'enfuyaient à toute vitesse pour aller s'empêtrer dans les filets ou tomber dans les fosses. Toute la journée le jeune chasseur attendit. Il était

---

1. **Onomatopées :** création de mots par imitation phonétique de l'être ou de la chose désignée ; par exemple : paf ! cocorico !...
2. **Marcassins :** petits du sanglier âgés de moins de six mois.

même prêt à y passer la nuit, son poignard bien à côté de lui, quand soudain son sang se glaça.

55 Là, sur l'autre rive de la mare, face à lui, une masse velue marchait puissamment sur ses pattes, bousculait les plus gros buffles pour mieux laper l'eau boueuse. Et quand elle levait la tête de l'eau, cette masse offrait au soleil... comme un visage humain !

Et c'était de fait un être humain !

60 Avec deux bras aussi forts que des pattes de tigre ! Avec comme un corps d'ours !

Leurs regards se rencontrèrent.

Pris de panique, le jeune chasseur courut jusque chez son père, à Ourouk.

65 – Père, dit-il tout essoufflé, j'ai vu un monstre, un énorme sauvage. C'est lui qui saccage nos pièges. Pour sauver les animaux avec lesquels il vit. Pour qu'on ne les tue pas !

– Ne serait-ce pas plutôt un gros sanglier sauvage ? répondit le père incrédule. La peur ne rend jamais bon observateur. Et per-
70 sonne dans Ourouk n'a jamais été et ne pourra jamais être plus fort que Gilgamesh.

– Mais, père, je l'ai vu comme je te vois ! Ce n'est pas un habitant d'Ourouk !

L'épouvante était encore telle sur le visage du fils que son père
75 le crut.

– Alors, dit-il, va trouver notre roi. Et raconte-lui ce que tu as vu.

Aller trouver le roi ! Le jeune chasseur en trembla de terreur. Autant aller à la mort ! Ou affronter le monstre de la mare à mains nues.

80 En bon fils, il obéit toutefois à son père.

Chapitre 3

La seconde naissance d'Enkidou

Le jeune homme traversa Ourouk et emprunta le chemin qui menait à la colline où se dressait le palais de Gilgamesh. À mesure qu'il avançait, tout lui paraissait plus beau, plus propre : les maisons, les arbres, les pelouses. De l'eau coulait en cascades. On voyait bien que les serviteurs ne manquaient pas pour entretenir ces jardins et ces demeures.

Quand il arriva devant les imposantes portes du palais, la peur l'emporta sur l'admiration. Deux soldats, de ceux qui escortaient le roi lors de ses batailleuses promenades en ville, montaient la garde. Humblement, le jeune homme leur demanda de le laisser entrer. Il y allait d'une affaire de la plus haute importance :

– Un monstre menace la sécurité du pays. Il me faut en informer le roi.

Les deux soldats échangèrent un regard hésitant puis le laissèrent passer. Après tout, ce n'était pas à eux de décider si une affaire était ou non d'importance. Et si elle ne l'était pas, le jeune homme le paierait de sa vie. Voilà tout.

Par prudence et par obligation de service, ils le firent accompagner par un garde.

À sa grande surprise, Gilgamesh lui accorda presque aussitôt audience[1]. Le jeune homme se prosterna et commença à raconter ce qu'il avait vu ou, plus exactement, tenta de le raconter. De se trouver devant son roi l'intimidait tant qu'il en bafouillait :

– Mare... un sauvage... fort... avec les bêtes.... saccage.

Plus il bafouillait, plus il craignait d'irriter Gilgamesh et moins il s'exprimait clairement. Gilgamesh, lui, ne comprenait rien. Mais il n'entra pas dans une de ses redoutables colères : l'embarras apeuré de son visiteur l'amusait.

– Reprends tes esprits, lui dit-il en éclatant de rire, et parle sans crainte. Il ne te sera fait aucun mal. Alors, comme ça, selon toi, mon royaume serait en danger ?

1. **Audience :** entretien accordé par un supérieur, quel qu'il soit.

– Oui, ô grand roi, fils du ciel et de l'auguste bufflonne Ninsoun.

Mis en confiance, le jeune homme s'enhardit[1] et ce qu'il avait raconté à son père, il le redit à Gilgamesh, qui, à son tour, réagit comme le vieil homme :

– Le soleil ou la peur t'auront troublé la vue. Un tel monstre ne peut pas exister.

– Mais je l'ai vu, je l'ai vu ! protesta le jeune homme. J'atteste le dieu Ea qu'aucun être au monde n'est plus fort que lui.

À ces mots, Gilgamesh tressaillit de colère. Personne au monde ne pouvait, ne devait être plus puissant que lui, Gilgamesh ! Quiconque le disait ou même le pensait était tout simplement déjà mort ! Le jeune homme se prosterna encore plus bas, jusqu'à s'aplatir sur le sol.

– Ma vie est entre vos mains, ô grand roi. Faites de moi ce que vous voulez. Mais je l'ai vu, je l'ai vu !

Gilgamesh ravala sa colère :

– Ramène-le-moi, ordonna-t-il ! Vivant ! Pour cela, fais-toi accompagner de Fille d'Amour, ma plus belle et plus douce courtisane. Elle saura, elle, comment s'y prendre.

Trois jours durant, le jeune homme et Fille d'Amour marchèrent pour atteindre la mare. Ils s'y postèrent sur la rive la plus buissonneuse. Et ils attendirent. Un jour. Deux jours. Seuls quelques oiseaux venaient se poser sur la surface de l'eau. Mais de monstre, point ! Fille d'Amour commença même à douter de son existence quand, le troisième jour, à l'heure où la chaleur rend la soif plus pressante, un nuage de poussière annonça l'arrivée d'un lourd troupeau.

Le jeune homme et Fille d'Amour se dissimulèrent de leur mieux derrière d'épais roseaux. Par chance, le vent ne venait pas de leur côté. Sinon, les bêtes auraient senti leur présence. Méfiantes, elles se seraient aussitôt enfuies ou, pis encore, les auraient peut-être chargés. Et il y avait là, baissant vers l'eau rafraîchissante leur museau ou leur mufle, des bêtes de haute taille et de fort poitrail[2], capables de vous écraser en quelques coups de sabots. Et, au

1. **S'enhardit :** reprit confiance en lui, trouva le courage.
2. **Poitrail :** devant du corps d'un quadrupède, d'un cheval par exemple.

milieu d'elles, tirant l'une, poussant l'autre, debout sur ses deux pattes ou ses deux jambes, immense, le « monstre » se frayait sans peur un chemin jusqu'à l'eau.

70 Alors Fille d'Amour se redressa, bien droite. Surprises, les bêtes s'enfuirent. Seul resta Enkidou, fasciné. La courtisane fit glisser sa robe à terre. Sa nudité bouleversa Enkidou, qui s'approcha.

Six jours et sept nuits, ils s'aimèrent.

Au matin du huitième jour, Enkidou avait perdu ses forces. 75 Son corps était sans vigueur, ses jambes ne le portaient plus, il ne pouvait plus courir. Il n'était plus comme avant. Ses compagnons les animaux ne cherchaient d'ailleurs plus à s'approcher de lui. Enkidou avait acquis raison et intelligence. Grâce à Fille d'Amour, il avait appris à parler. Il était pleinement devenu un homme. Ce 80 fut sa seconde naissance.

Alors il se mit à regarder et à écouter la courtisane. Et ce que lui racontait Fille d'Amour lui faisait plaisir :

– Tu es beau, Enkidou, lui disait-elle, tu ressembles à un dieu. Pourquoi rester dans la steppe à vivre au milieu des bêtes comme 85 un sauvage ? Viens avec moi à Ourouk. Je te montrerai la ville, je t'apprendrai la vie, je te présenterai à notre grand roi Gilgamesh. Il est le plus fort de tous.

– Mensonge ! s'exclama Enkidou. Celui qui est né et qui a vécu de longues années dans la steppe est invincible. Je viens avec toi, 90 Fille d'Amour. Et à ton roi, à ton grand Gilgamesh, je vais jeter un défi. Et je l'écraserai ! Nous partons dès demain.

Chapitre 4

Les deux rêves de Gilgamesh

La nuit précédant leur retour à Ourouk, Gilgamesh fit un rêve étrange. Un énorme rocher s'était détaché des étoiles et était presque tombé à ses pieds. Il avait voulu le soulever. En vain. Le rocher pesait trop lourd. Prenant la météorite pour un cadeau du ciel, les habitants d'Ourouk s'étaient mis à l'adorer. Lui-même la cajolait comme il aurait fait d'une femme. Finalement, il réussit à soulever le rocher et à le déposer aux pieds de sa mère.

Tel était le rêve de Gilgamesh. Le front en sueur, il s'était redressé sur son lit, cherchant à comprendre ce que signifiait son rêve. Car il savait, comme tout un chacun, que les dieux ont coutume de s'adresser aux hommes par l'entremise des rêves. Mais Gilgamesh avait beau y réfléchir, il ne voyait aucun sens à donner au sien. Malgré l'heure tardive, il se résolut à aller tout raconter à sa mère.

Ninsoun, sage, savante, omnisciente, lui en donna aussitôt la bonne interprétation :

– Tu n'as rien à craindre, mon fils. Ce rocher que tu n'as pu soulever annonce l'arrivée d'un solide et puissant gaillard. Le peuple l'aimera et toi, qui l'as choyé, tu t'en feras un compagnon et un ami.

Rassuré, Gilgamesh retourna se coucher. Un second rêve le troubla plus encore que le premier. Sur la grand-place d'Ourouk, une hache mystérieuse attirait l'attention générale. Tout le monde la vénérait. Lui en prenait soin comme d'une femme.

Tel était le nouveau rêve de Gilgamesh dont, là encore, Ninsoun, sage, savante, omnisciente, lui dévoila la signification :

– Cette hache représente un homme qui te défendra comme un ami.

– Alors qu'il vienne vite, cet ami ! se réjouit Gilgamesh.

Définitivement apaisé, il se rendormit. Ce matin-là, il n'était pas encore réveillé qu'Enkidou et Fille d'Amour avaient déjà pris la route.

Chapitre 5

Une journée chez des bergers

À midi, Enkidou et Fille d'Amour s'arrêtèrent chez des bergers. Le chemin jusqu'à Ourouk était encore long. Il convenait de se reposer et surtout de se nourrir.

Se nourrir ?

Tout à la fois méfiant et curieux, Enkidou tourna et retourna entre ses mains la boule de pain qu'on lui tendait. Lui qui se nourrissait d'herbes comme les gazelles ne savait pas ce qu'était le pain.

– Pain ? répétait-il.

– Mange-le, l'encourageait Fille d'Amour. Chez les hommes, on mange du pain. C'est bon et ça redonne des forces.

Joignant le geste à la parole, Fille d'Amour en prit un morceau et le mâcha lentement pour montrer à Enkidou comment il convenait de faire. Enkidou l'imita.

– Bon ! dit-il dans un éclat de rire.

Et Enkidou avala en deux-trois bouchées la boule entière sous le regard amusé et admiratif des bergers :

– Ses bras sont puissants et il est grand comme une statue, se disaient-ils entre eux. On jurerait un dieu. Il ressemble à Gilgamesh.

La bière fut pour lui une autre découverte. Lui qui ne buvait que l'eau des mares et le lait des bêtes sauvages ne savait pas davantage ce qu'était la bière. Coup sur coup, il en but sept cruchettes. La tête lui tourna, le sang lui cogna aux tempes. Enkidou était ivre. Repu, le cœur joyeux, il se sentait léger, chantonnait. Mais quand il voulut se lever, il tituba, trébucha et, se laissant glisser à terre de toute sa masse, il s'endormit sous l'effet de l'alcool. Il n'était plus question de repartir pour Ourouk. Enkidou et Fille d'Amour passèrent donc le reste de la journée chez les bergers.

Le soir, à l'heure où chacun songe à s'endormir, Enkidou se réveilla, frais et dispos. Ne sachant que faire, il saisit son arme et, toute la nuit, il protégea les moutons de ses hôtes contre les attaques des lions ou des loups. Pour une fois les bergers purent dormir tranquillement. Enkidou était leur gardien, leur gardien unique. Il était deux fois plus grand que n'importe qui.

Clefs d'analyse

Prologue, chapitres 1-5

Action et personnages

1. Qui est Gilgamesh ? Quelle est sa fonction ? En quoi est-il différent du commun des mortels (chapitre 1) ?
2. Quelle sorte de souverain est-il (chapitre 1) ?
3. Dans quelle intention précise les dieux font-ils naître Enkidou (chapitres 1 et 2) ?
4. Quelle est la première éducation d'Enkidou (chapitre 2) ?
5. Quel rôle Fille d'Amour joue-t-elle auprès d'Enkidou (chapitre 3) ?
6. Que découvre et qu'apprend Enkidou chez les bergers (chapitre 5) ?

Langue

7. Relevez dans le chapitre 1 les principaux modes verbaux.
8. Relevez dans le chapitre 2 des exemples d'interrogation directe.
9. Relevez dans le chapitre 2 deux propositions subordonnées relatives ne commençant pas par « qui ».
10. Relevez dans le chapitre 3 au moins un exemple d'adjectif qualificatif au comparatif.
11. Relevez dans le chapitre 4 des mots ou des groupes de mots en apposition.
12. Relevez dans le chapitre 5 au moins un exemple de participe présent.

Genre ou thèmes

13. En quoi consiste un prologue ? Où se trouve-t-il dans une œuvre ? Dans quel type d'œuvre en trouve-t-on ordinairement ?
14. En quoi consiste le merveilleux ?
15. Qu'est-ce qui indique que ce récit se déroule aux origines mythiques de l'humanité ?

Écriture

16. Dans le chapitre 1, les habitants d'Ourouk se lamentent sans oser se révolter. Évoquez leurs peurs et leurs plaintes.
17. Le chapitre 2 décrit les réactions du jeune chasseur apercevant Enkidou. Décrivez à votre tour les réactions d'Enkidou découvrant pour la première fois un être humain.
18. Développez les rêves de Gilgamesh dans le chapitre 4.

Pour aller plus loin

19. Les dieux et les déesses de la religion égyptienne pouvaient avoir, comme la mère de Gilgamesh, un aspect animal. Recherchez quelques-unes de ces divinités.
20. Citez des œuvres littéraires, des films ou des bandes dessinées qui mettent en scène un être humain né et élevé dans la jungle.
21. Citez des œuvres littéraires, des films ou des bandes dessinées où les rêves jouent un rôle prémonitoire.

✻ *À retenir*

Le merveilleux caractérise des œuvres dans lesquelles interviennent des êtres surnaturels (des dieux ou des fées par exemple), des éléments féeriques (comme des tapis volants) ou des opérations magiques (plante, philtre ou breuvage miraculeux). Dans les épopées de l'Antiquité, le merveilleux réside souvent dans la présence et l'action des divinités.

Chapitre 6

Bataille de deux géants

À l'aube, Enkidou était prêt à partir. Fille d'Amour jugea toutefois qu'il n'était pas assez présentable pour faire son entrée dans Ourouk. Il fallait le décrasser, le vêtir plus décemment, bref le rendre moins sauvage et plus civilisé. Pour le remercier d'avoir veillé et protégé leur troupeau durant la nuit, les bergers lui offrirent un peu d'huile parfumée. Fille d'Amour lui en frotta le corps. Enkidou se laissa faire. Il rit même de sentir le thym et la menthe sauvage. Il retrouvait les odeurs de la steppe, quand il rampait dans les herbes folles. Les bergers lui donnèrent également une peau de mouton toute neuve. Même chez les plus pauvres, les lois de l'hospitalité sont sacrées et le bonheur et le bien-être d'un hôte sont primordiaux. Enkidou s'enveloppa le torse de la peau de mouton, une peau blanche, bien peignée, magnifique. Elle lui descendait jusqu'à mi-cuisses. Une corde lui servit de ceinture. Fille d'Amour lui noua l'un de ses foulards autour du cou.

– Tourne-toi, disait-elle, admirative, te voilà comme un jeune marié !

– Marié ?

Fille d'Amour lui expliqua ce que ce mot voulait dire.

– Comme toi et moi ? demanda Enkidou.

– Si tu veux...

Il fallut enfin partir. Enkidou et Fille d'Amour firent leurs adieux aux bergers et reprirent la route.

Enkidou était tout excité à l'idée de voir ce qu'était une ville. Jusqu'ici, quand il partageait son existence avec les animaux de la steppe, il avait pris soin de se tenir à bonne distance des remparts d'Ourouk. À trop s'approcher, on risquait un coup de lance, de javelot ou une brassée de flèches. Mais Fille d'Amour lui vantait tant les charmes et les plaisirs d'Ourouk qu'il en oubliait toute méfiance.

– Tu verras, lui disait-elle, c'est une fête permanente. On chante, on danse, on joue de la musique. Les hommes portent de belles écharpes et les femmes de belles robes. Et on fait l'amour.

Enkidou se mit alors à chantonner. Il gambadait. Il prenait la main de Fille d'Amour et marchait, fier comme un lion. Enkidou était heureux.

Son visage ne s'assombrissait que lorsque Fille d'Amour lui parlait de Gilgamesh, de sa force céleste, de son invincibilité.

– Celui qui est né dans la steppe a de la force, répliquait-il. Et sa voix retrouvait des accents rauques[1] d'animal.

Leur entrée dans la ville ne passa pas inaperçue. Les habitants d'Ourouk reconnurent tout de suite Fille d'Amour. Mais quel était l'homme qui l'accompagnait ?

– C'est un gaillard assurément, murmurait-on sur son passage. Il ressemble à Gilgamesh par sa stature. Un peu plus court de taille, mais plus trapu. Le grand Anou exaucerait-il enfin nos prières ?

Le bruit qu'un sauveur venait les délivrer de la tyrannie de Gilgamesh se répandit plus rapidement que le vent. Une foule de plus en plus grosse l'accompagnait. On voulait le voir, lui parler, le toucher. On soupesait ses muscles, on évaluait sa puissance. Et quand Enkidou repoussait violemment ceux qui s'approchaient de trop près, personne ne s'en plaignait, au contraire.

– Quel colosse ! disait-on. Gilgamesh va enfin avoir à qui parler.

La curiosité et l'espoir grossissaient avec la foule. Maintenant, Fille d'Amour avait lâché la main d'Enkidou et le laissait marcher devant. Comprenant que cette foule ne lui voulait aucun mal, Enkidou marchait la tête haute et bombait le torse. Quand il pénétra sur la grand-place d'Ourouk, on eût dit[2] qu'il était le roi de la ville.

On l'applaudissait, on l'acclamait.

Et soudain un immense silence se fit, un silence de terreur et d'angoisse.

Gilgamesh se tenait devant lui, entouré de ses gardes.

Il allait à une noce. À vrai dire, il n'y était pas invité, mais il s'y était invité d'office, comme à toutes celles qui avaient lieu dans Ourouk. Leur nuit de noces, les jeunes femmes devaient toutes la passer d'abord avec lui. C'était la coutume qu'il avait établie.

---

1. **Rauques :** rudes et comme enroués.
2. **On eût dit :** on aurait dit.

– Sur ordre des dieux, disait-il.

Personne ne croyait que le dieu Anou eût ordonné une telle infamie[1]. Mais nul ne protestait, sinon à voix très basse. Qui aurait été assez fou pour protester ? Les épées des dix gardes qui escortaient en permanence Gilgamesh auraient immédiatement transpercé l'imprudent. Même le marié faisait semblant d'être honoré que le roi couchât avec sa femme.

Paré lui-même comme un marié, Gilgamesh était donc là, planté devant Enkidou. Il lui fallait traverser la place pour aller à l'auberge où l'attendait la jeune fille.

– Écarte-toi de mon chemin ! ordonna-t-il.

Enkidou ne bougea pas. Un murmure craintif parcourut la foule. Les gardes ricanèrent, savourant à l'avance la mise à mort de l'insolent. Sachant trop bien ce qui allait arriver, Fille d'Amour se précipita vers Gilgamesh pour implorer sa clémence :

– Pitié ! Ô grand roi ! C'est un sauvage, qui ne comprend pas ce qu'on lui dit.

Gilgamesh la repoussa si vivement qu'elle tomba loin à terre. Enkidou serra ses mâchoires, ses muscles se gonflèrent.

– Ne la touche pas ! gronda-t-il.

– Quoi ! Des menaces ! Tu menaces le roi d'Ourouk, le fils du puissant Lougalbanda et de la déesse Ninsoun. Gardes !

Déjà Fille d'Amour s'était relevée et avait rejoint Enkidou.

– Viens, disait-elle, laisse-le passer.

Elle le tirait par le bras. Mais Enkidou était aussi immobile qu'un roc. Fille d'Amour crut le convaincre en lui expliquant que Gilgamesh n'avait rien contre lui, qu'il allait à l'auberge coucher avec une femme.

– La sienne ?

– Non. Celle du marié, qui est là, habillé de soie et d'or.

– Avec toi aussi il a couché ?

Fille d'Amour évita de lui répondre. Mais c'en était trop pour Enkidou. Dans la steppe, les lions ne partageaient avec aucun autre les faveurs d'une lionne.

---

1. **Infamie :** action honteuse.

– Toi et moi allons nous battre, rugit-il à l'intention de Gilgamesh.

Gilgamesh le toisa. Cet hirsute mal dégrossi, était-ce là l'ami que lui avaient annoncé ses rêves ? Un provocateur ou, plutôt, un demeuré, un imbécile qui ne savait pas ce qu'il faisait ! Les rêves n'étaient vraiment que des bêtises ! Ah ! On ne le prendrait plus à s'en soucier. Mais ce sauvage, tout fou qu'il était, l'avait publiquement défié, lui, Gilgamesh, le roi, le tout-puissant ! Il ne pouvait pas se défiler sous peine de passer pour un lâche et de perdre toute autorité. Déjà la foule encourageait Enkidou :

– Vas-y ! Fais lui payer ce qu'il nous fait souffrir ! S'apprêtant à réprimer ce début de rébellion, les gardes entourèrent aussitôt Gilgamesh, leurs lances pointées à l'horizontale vers la foule. Mais Gilgamesh leur fit signe de s'écarter. Les gardes reculèrent et, avec eux, la foule.

Sur la grand-place d'Ourouk il y eut un grand cercle vide et, au milieu de ce cercle, deux hommes, ou plutôt deux surhommes, qui se faisaient face : Gilgamesh plus grand qu'Enkidou, Enkidou plus trapu que Gilgamesh.

Leur affrontement dura deux heures.

Enkidou fonça comme un taureau sur Gilgamesh, qui esquiva la charge. Habitué à chasser les bêtes et à batailler contre les hommes, Gilgamesh possédait une science de la ruse et des combats que n'avait pas Enkidou. Emporté par son élan, Enkidou en fut tout déséquilibré, tituba, mit un genou à terre.

– Aie pitié de nous, grand Anou ! s'écrièrent certains qui commencèrent à redouter le pire. Pour Enkidou et pour eux-mêmes. Gilgamesh avait entendu leurs cris hostiles à son égard. Terrible serait sa vengeance s'il venait à remporter le combat.

Les jambes solidement écartées, il dominait de toute sa stature Enkidou qui, presque terrassé, reprenait son souffle.

– Je vais t'écraser comme un misérable insecte ! hurlait Gilgamesh.

Son pied droit visait la tête d'Enkidou. Il le balança, le lança.

Un hurlement traversa la grand-place, si fort et si rocailleux qu'on aurait dit celui d'une hyène[1] se jetant sur sa proie : sans même se relever, les muscles de ses jambes se détendant comme des lianes, Enkidou avait agrippé son adversaire à la taille.

140 Ils s'empoignèrent alors comme des buffles enragés. Ils roulèrent l'un sur l'autre, si rapidement qu'on ne sut plus qui portait les coups les plus nombreux et les plus rudes. Ils roulèrent, la foule se déplaçant à mesure, jusqu'à heurter la porte de l'auberge où devait se tenir la noce. Sous le choc, la porte vola en éclats. Le mur 145 trembla.

Enkidou s'était relevé et coinçait Gilgamesh entre lui et le mur, lui cognant la tête contre le mur.

– Vaincu ! Enkidou t'a vaincu ! lui criait-il.

– Tue-le ! Maintenant ! Débarrasse-nous de ce tyran ! hurlait la 150 foule.

Enkidou hésita. Il n'avait pas l'habitude de mettre un homme à mort. Son hésitation lui fut fatale.

Gilgamesh en profita pour agripper son bras. S'en servant comme d'une aide, il se redressa. Le dos maintenant bien calé 155 contre le mur, il serrait Enkidou à la gorge et l'étranglait de toutes ses forces. De toutes les siennes, Enkidou tentait de desserrer l'étreinte. Leurs visages s'empourpraient : de suffocation pour Enkidou et de rage pour Gilgamesh. Les muscles de leurs bras se gonflaient sous l'effort. Avantagé par sa stature, Gilgamesh prenait 160 le dessus, certes lentement tant Enkidou résistait, mais il allait incontestablement l'emporter.

– Chien ! espèce de chien ! Voilà comment Gilgamesh traite ceux qui osent le défier !

C'en était fini. Le souffle de plus en plus court, les yeux exorbi-165 tés, Enkidou s'affaissait. La foule refluait. Cette fois, le grand Anou avait bel et bien abandonné son peuple.

Mieux valait rentrer chez soi au plus vite et s'y barricader. Pour fêter la victoire de leur maître, les gardes auraient licence[2] de piller et de tuer.

---

1. **Hyène :** mammifère carnivore d'Afrique et d'Asie, à pelage gris, charognard redoutable.
2. **Licence :** liberté excessive.

Chapitre 6

170 C'en était fini. C'en était presque fini.

Le sang refluant de son visage, Enkidou devenait de plus en plus pâle. La sueur coulait à grosses gouttes sur ses joues et sur son cou. Les mains de Gilgamesh se firent plus glissantes. Elles serrèrent moins. Avec le sursaut du désespoir et une agilité de serpent 175 acquise dans la steppe, Enkidou se dégagea.

– Oh ! s'écrièrent les quelques spectateurs encore présents sur la grand-place.

En les entendant, la foule rappliqua. Haletants et écumants, les adversaires avaient reculé de plusieurs pas, comme pour mieux 180 reprendre la lutte.

Et leur combat dura deux heures. Ce fut un combat à mort, dans lequel chacun jeta ses dernières forces, bien décidé à ne pas abandonner la victoire à l'autre. De feinte en esquive, ils allaient et venaient. La grand-place d'Ourouk était devenue leur arène. Ils 185 s'empoignèrent enfin de nouveau, leurs grosses mains cherchant à briser le cou de l'autre.

Ils s'épuisaient sans pouvoir se neutraliser.

Il n'y avait ni vainqueur ni vaincu.

Alors Enkidou le premier renonça à sa colère et à son défi :

190 – Oui, dit-il à Gilgamesh, toi, le fils de la déesse Ninsoun, on t'a élevé au-dessus des hommes. La royauté, c'est bien à toi qu'Enlil[1] l'a destinée.

La rage abandonna Gilgamesh. Elle le quitta aussi vite qu'elle était venue : son rival reconnaissait son autorité.

195 – Sois désormais l'ami du roi d'Ourouk ! Que l'homme des steppes et l'homme de la ville marchent toujours ensemble !

Tous deux s'embrassèrent, au grand soulagement de la foule. Gilgamesh ne serait plus ce tyran solitaire cruel. Dans sa sagesse et sa grande bienveillance, le grand Anou avait exaucé les habitants 200 d'Ourouk.

1. **Enlil :** dieu du Vent, « maître des mondes », il possède les tablettes sur lesquelles est inscrit le destin de l'humanité. Il est aussi le père des dieux et l'exécuteur des décisions célestes.

Chapitre 7

Une vie trop facile ?

Ce jour-là resta mémorable dans l'histoire d'Ourouk et dans la mémoire de ses habitants. Sans doute, avec le temps, le combat d'Enkidou et de Gilgamesh prit-il des dimensions épiques[1]. La légende s'en empara, l'enjoliva. Le combat se mua presque en 5 mythe[2], en événement fondateur. Ce qui est certain, c'est qu'il y eut un avant et un après ce combat. Quelques-uns disaient même :

– Un avant et un après Enkidou.

Mais Gilgamesh ne s'en formalisait pas. Tout avait réellement 10 changé.

La ville vivait en paix et sans plus redouter son roi. L'économie n'en devint que plus prospère. Les artisans et les ouvriers continuaient certes de travailler durement, peut-être plus durement encore qu'auparavant, mais c'était pour améliorer leur sort. La 15 soldatesque[3] ne viendrait plus les voler et les ruiner. Dans sa généreuse bienveillance, le grand Anou accordait aux paysans des saisons propices à d'abondantes récoltes : des automnes pluvieux, des hivers cléments et des étés ensoleillés. Les fruits en étaient gorgés de saveurs.

20 Une fois par mois, une foire se tenait sur la grand-place d'Ourouk. On venait de loin pour vendre ses produits et en acheter d'autres. On y entendait parler toutes sortes de langues : le hittite[4] se mêlait au ninivite[5], au hourrite[6], à l'assyrien[7]. C'était plein de couleurs et ça sentait les épices du monde entier. Ourouk connais-25 sait la vie simple des cités prospères et heureuses.

---

1. **Épiques :** grandioses, extraordinaires.
2. **En mythe :** en récit populaire et important.
3. **La soldatesque :** des soldats brutaux et indisciplinés.
4. **Le hittite :** langue parlée dans l'ancien Orient, et en Anatolie.
5. **Le ninivite :** langue de l'ancienne Mésopotamie.
6. **Le hourrite :** langue parlée en Anatolie et en haute Mésopotamie.
7. **L'assyrien :** langue d'Asie occidentale.

Chapitre 7

Tout avait changé et tout était changé.

Depuis qu'il avait un ami capable de lui résister, Gilgamesh était un autre homme. Il ne tyrannisait plus son peuple, il le gouvernait. Il s'employait à favoriser l'agriculture, l'industrie de l'argile, l'architecture et même, ce qui était totalement nouveau, les arts. Des écoles de musique et de danse virent le jour.

Enkidou avait lui aussi changé, mais d'une étrange façon. Il paraissait le seul à ne pas être heureux. Son existence était pourtant mille fois plus agréable que celle qu'il avait menée dans la steppe. Il habitait dans un appartement somptueux du palais. Il n'avait plus à se préoccuper de se nourrir. Disait-il avoir faim ? Plus besoin de brouter l'herbe ! Des servantes lui apportaient sur-le-champ, dans de larges plats en argile, des viandes et des fruits à volonté. Il ne buvait plus l'eau des mares, mais du bon vin et de la bière servis dans des coupes ciselées. Bref, tous ses désirs étaient exaucés. Enkidou vivait dans le luxe et les plaisirs. Et pourtant il était triste et sans enthousiasme. Gilgamesh s'en désolait :

– Ne me dis tout de même pas que tu regrettes la vie sauvage ! lui disait Gilgamesh. Ici tu peux ce que tu veux ! Que te faut-il de plus ? Quelqu'un a-t-il osé te déplaire ? Moi-même t'ai-je déplu ?

– Non, lui répondait Enkidou, tu es le plus grand des rois et le meilleur des amis.

Fille d'Amour elle-même ne semblait plus faire son bonheur. Il l'aimait encore, et passionnément, mais quelque chose le rongeait, comme un lent et un morne désespoir.

Une maladie ?

– Je crois plutôt qu'il s'ennuie, dit Fille d'Amour à Gilgamesh. Dans la steppe, tout était difficile. Ici, tout est à portée de main. Il n'a plus rien à conquérir.

Et un jour qu'Enkidou gémissait douloureusement et que son cœur lui faisait mal, Gilgamesh lui reprocha de se taire et de se renfermer sur lui-même :

– On doit pouvoir tout dire à un ami, et un ami doit pouvoir tout écouter, sinon ce ne sont pas de vrais amis.

– Regarde-moi, lui répondit Enkidou, mes bras pendent inertes, ma force diminue, ma vigueur s'amenuise. Bientôt je ressemblerai à l'un de tes vieux courtisans bouffi et luisant de graisse. Les courses dans la steppe me manquent. Et le vent. Et de me mesurer avec les buffles.

– Je comprends, murmura Gilgamesh. Laisse-moi réfléchir.

Chapitre 8

Un projet insensé

– Folie ! répéta Enkidou. Pure folie !

– L'homme de la steppe deviendrait-il peureux comme une gazelle ? répliqua, cinglant, Gilgamesh.

La désapprobation d'Enkidou le blessait. C'était la première fois qu'un désaccord les opposait. D'habitude, ce que l'un souhaitait, l'autre le désirait. L'amitié les faisait se comprendre spontanément. Mais cette fois Enkidou s'obstinait dans son refus. C'était non ! Même la réplique acerbe et presque insultante de Gilgamesh ne suscita pas chez lui le sursaut d'orgueil escompté.

– La gazelle fuit quand il faut. C'est une question de survie, et pas de lâcheté.

– Mais songe quelle aventure ce sera ! reprit Gilgamesh. Courir des risques et accomplir des exploits, voilà ce qu'il nous faut. Écoute. Depuis Ourouk jusqu'à la Forêt des Cèdres, au Liban, il y a 600 km.

– 1 200, corrigea Enkidou.

Emporté par sa fougue et son projet, Gilgamesh ne prêta aucune attention à la précision. 600 ou 1 200 km, la belle affaire ! Qu'est-ce que cela changeait ?

– Nous traverserons la Forêt des Cèdres, nous gravirons la montagne où se tient Houmbaba et nous le défierons en combat singulier !

– Le défier ! Mais tu ne sais pas ce que tu dis ! Écoute-moi à ton tour. Houmbaba, je l'ai vu. De loin, de très loin. Mais ce que j'ai vu de lui me suffit à ne jamais souhaiter le revoir !

– Quand l'as-tu vu ?

– La curiosité habite la jeunesse. Je voulais savoir ce qu'il y avait au-delà de la steppe. Je me suis approché de cette Forêt. Houmbaba est un géant. Ses hurlements ébranlent les montagnes. Sa bouche crache du feu. Son haleine répand la mort. À n'en pas douter, le dieu Enlil l'a créé pour terroriser l'univers ! Et tu veux le défier !

– Le défier ! Et le tuer ! L'exploit me vaudra une gloire éternelle. Moi, roi d'Ourouk, je serai le plus grand roi du monde !

– Tu seras le mort le plus fou !

– Puisque la peur, je le vois bien maintenant, amollit ton courage et ton ambition, j'irai donc seul ! Et la gloire n'en sera que pour moi !

– Je te suivrai donc. À contrecœur, mais je te suivrai. Car il ne sera jamais dit qu'Enkidou a abandonné son ami dans le danger.

Sitôt la décision prise, Gilgamesh et Enkidou préparèrent leur expédition. Ils s'occupèrent tout d'abord des armes et choisirent les meilleurs forgerons de la ville pour les fabriquer. Chaque jour durant une semaine ils leur rendirent visite et contrôlèrent leur travail. Il est vrai que, pour affronter le géant Houmbaba, il ne fallait pas des armes ordinaires, de chasse ou de guerre, mais des haches, des épées lourdes et cependant faciles à manier, tranchantes dès le premier coup porté.

Une semaine plus tard, après avoir, jour et nuit, fondu, martelé et façonné le bronze[1], les forgerons avaient fièrement accompli leur tâche et tout était prêt. Gigantesques, le fer des haches et la lame des épées pesaient 60 kilos chacun. Les manches des haches et la monture des épées étaient en or, d'un poids de 20 kilos chacun, sans oublier les baudriers[2] ! C'était vraiment du beau travail.

Quand Gilgamesh fit tournoyer sa hache monumentale au-dessus de sa tête, l'air siffla comme s'il avait été coupé sec ! Si redoutable fût-il, Houmbaba n'avait qu'à bien se tenir !

Gilgamesh était bien le seul à le croire. Les Anciens d'Ourouk partageaient plutôt les réticences d'Enkidou :

---

1. **Bronze :** alliage de cuivre et d'étain.
2. **Baudriers :** un baudrier est une bande de cuir ou d'étoffe portée en écharpe et servant à ranger une épée.

– Tu n'es qu'un enfant, Gilgamesh, lui dirent-ils. Ton ambition t'emporte et ton orgueil t'égare. La Forêt des Cèdres s'étend sur soixante près de 600 km. Qui peut la traverser ? Et qui peut vaincre Houmbaba ? Sa bouche crache la mort. C'est l'esprit du Mal. Même nos jeunes dieux du ciel, les Igigi et les Announaki, n'oseraient se mesurer avec lui.

Maintes fois les Anciens lui redirent ces vérités. Ignorant toute prudence, Gilgamesh leur faisait toujours la même réponse :

– Je veux faire savoir combien le roi d'Ourouk est puissant. Je tuerai Houmbaba, je rapporterai le précieux bois de cèdre et mon nom sera éternel.

La veille du départ, Gilgamesh s'enferma dans son palais. L'ordre fut donné de ne pas le déranger et même Enkidou devait s'y plier. Il demeura seul durant de longues heures, agenouillé à prier le dieu-soleil.

– Vois, Shamash, je lève les mains vers toi. Je pars. Préserve ma vie ! Étends sur moi ta protection. Ramène-moi sur la grand-place d'Ourouk. Si je reviens sain et sauf, je te bâtirai un temple, je te ferai asseoir sur un trône.

Le lendemain, dès l'aube, Enkidou et Gilgamesh se firent apporter tout leur équipement, les haches et les épées de grande taille, les arcs et les carquois[1]. Ils quittèrent le palais. Ils traversèrent toute la ville pour sortir par la plus grande porte d'Ourouk. Les habitants se pressaient sur leur passage.

– Que le grand Anou soit avec toi, Gilgamesh ! Et avec toi aussi, Enkidou ! Quand reviendrez-vous ?

Tous étaient impatients de revoir leurs héros.

– Bientôt, leur répondait Gilgamesh. Soyez-en certains, je reviendrai ! D'ici là, obéissez fidèlement aux Anciens. Ils détiennent la sagesse.

Les Anciens, qui attendaient Enkidou et Gilgamesh près de la porte principale, leur souhaitèrent à leur tour bon voyage et bonne fortune :

---

1. **Les carquois :** étuis à flèches.

– Prends garde à toi, Gilgamesh, sois clairvoyant. Laisse marcher Enkidou devant toi. Il connaît la steppe, il s'est déjà approché de la
95 Forêt.

Quand ils sortirent d'Ourouk, une immense clameur les accompagna. Les deux marcheurs se retournèrent pour saluer Ourouk et ses habitants.

Puis ils s'éloignèrent d'un bon pas, dans la poussière et le soleil
100 du matin.

En haut des remparts, sur la terrasse dominant la ville, Ninsoun avait revêtu ses plus beaux habits d'or et coiffé sa tiare[1]. Face au Soleil, elle faisait fumer de l'encens et offrait des libations[2]. Elle levait les bras en signe d'imploration :

105 – Pourquoi m'as-tu donné un fils qui ne connaît pas le repos ? disait-elle. Voici maintenant qu'il entreprend ce que personne au monde n'a jamais fait, ni même imaginé. Protège-le, Soleil. Qu'Aya ta Fiancée t'y fasse toujours penser. Et le soir, quand tu t'endors et qu'apparaissent les étoiles, confie-le aux Gardiens de la nuit.

110 Ninsoun resta sur la terrasse jusqu'à ce que son fils disparût à l'horizon.

---

1. **Tiare :** coiffure d'apparat, symbole de la souveraineté dans l'ancien Orient.
2. **Libations :** sacrifice qui consistait à répandre du vin, de l'huile, du lait et, parfois, du sang en l'honneur d'une divinité.

Clefs d'analyse

Chapitres 6-8

Action et personnages

1. Quelles raisons poussent Enkidou et Gilgamesh à se combattre dans le chapitre 6 ?
2. Repérez les différentes phases de la lutte (chapitre 6).
3. Comment se termine le combat ? Pourquoi s'achève-t-il de cette façon ?
4. Pourquoi, après avoir voulu s'entre-tuer, les deux hommes deviennent-ils amis (chapitres 6 et 7) ?
5. Quelle est l'évolution d'Enkidou (chapitre 7) ?
6. En quoi le projet d'aller défier Houmbaba dans la Forêt des Cèdres est-il tout à la fois excitant et insensé (chapitre 8) ?

Langue

7. Relevez dans le chapitre 6 trois façons différentes d'exprimer le temps.
8. Relevez dans le chapitre 6 des exemples de verbes à l'impératif.
9. Recherchez dans un dictionnaire les différents sens du mot « légende » (figurant au début du chapitre 7).
10. Relevez dans le chapitre 7 des exemples de pronoms démonstratifs.
11. « L'homme de la steppe deviendrait-il peureux comme une gazelle ? » (chapitre 8) : indiquez la nature et la fonction des mots « peureux » et « gazelle ».

Genre ou thèmes

12. Qu'est-ce qui rend terrible et terrifiant le combat d'Enkidou et de Gilgamesh (chapitre 6) ?
13. À quel genre d'œuvres se rattache le chapitre 7 ?
14. Quelle image de l'amitié donnent les chapitres 7 et 8 ?
15. En quoi le projet de Gilgamesh relève-t-il de l'épopée (chapitre 8) ?

Écriture

16. Enkidou s'ennuie dans sa nouvelle existence luxueuse (chapitre 6). Développez ses pensées et analysez ses sentiments.
17. Gilgamesh ne comprend pas l'attitude de son ami. Développez ses pensées et analysez ses sentiments.
18. Ninsoun est une déesse. C'est aussi la mère de Gilgamesh. Que peut-elle bien ressentir en voyant son fils unique partir pour une expédition aussi dangereuse (chapitre 8) ?

Pour aller plus loin

19. Citez des œuvres littéraires, des films ou des bandes dessinées contenant une scène de lutte entre deux adversaires de même taille et de même force.
20. Citez le nom de personnages en quête d'exploits extraordinaires (qu'ils les accomplissent ou non).
21. Quel pays appelle-t-on parfois aujourd'hui encore « le pays du Cèdre ». Situez-le par rapport à l'ancienne Mésopotamie ou à l'actuel Irak.

✱ *À retenir*

L'imparfait et le passé simple de l'indicatif sont les principaux temps du récit. L'imparfait sert à décrire, à indiquer une action répétitive ou une action passée plus ou moins longue. Le passé simple caractérise, quant à lui, une action passée et brève. Il sert donc souvent à marquer une succession de faits.

Chapitre 9

La Forêt des Cèdres

Le matin du premier jour ils marchèrent 300 km.

Enkidou ouvrait la voie comme l'avaient conseillé les Anciens. La steppe était son domaine. Il en connaissait les faveurs et les dangers. L'eau bonne à boire, il savait où la trouver. Le serpent qui sillonnait dans l'herbe, il savait l'éviter. De son côté, la steppe reconnaissait son fils. Elle lui redonnait vie. Le vent, les odeurs, le vaste espace le ragaillardissaient. L'air dont il s'emplissait les poumons à pleines gorgées le rendait plus agile. Ses pas devenaient des enjambées. Il touchait à peine le sol. Enkidou souriait. La steppe et lui célébraient leurs retrouvailles.

Gilgamesh s'efforçait de suivre.

Quand Shamash, le Soleil, fut à son zénith[1], Enkidou décréta qu'une pause était nécessaire.

– Il va faire trop chaud. Mangeons et dormons un peu.

Accroupis, les deux hommes partagèrent des dattes et des galettes d'orge. Enkidou avisa soudain les feuilles d'une grosse plante, qu'il arracha et tendit à Gilgamesh.

– Frottes-en tes pieds, dit-il. C'est bon.

En effet les feuilles étaient douces, chaudes et apaisantes comme de la crème de lait.

Deux heures plus tard environ, ils repartirent et marchèrent 300 kilomètres. Quand Shamash commença à décliner, ils songèrent à s'organiser pour la nuit. Sur un tertre[2] d'où il était plus facile de se protéger contre d'éventuelles attaques de carnassiers, ils établirent leur bivouac. Ils firent un feu puis mangèrent frugalement mais plus copieusement que le midi et se désaltérèrent de jus de baies sauvages.

Au loin, Shamash allait disparaître et s'endormir dans les profondeurs de la terre. Avant de l'imiter, Gilgamesh le supplia de leur accorder sa protection. Puis il s'allongea dans l'herbe accueillante.

---

1. **Zénith :** point le plus haut.
2. **Tertre :** petite élévation de terre ; butte.

Six cents kilomètres dans la journée, cela représentait un bon périple ! Le sommeil tomba sur lui comme une massue.

Au petit matin, quand Gilgamesh se réveilla, Enkidou était déjà debout, occupé à humer le vent et à scruter le ciel.

– Bien dormi ? demanda-t-il à Gilgamesh.

– Oui. Et les dieux m'ont rendu visite. Voici ce que j'ai vu en songe : nous traversions les ravins d'une montagne, quand celle-ci s'est soudain écroulée. Mais nous étions sains et saufs. Nous nous étions envolés comme des mouches. Qu'en penses-tu ?

– Que les dieux nous sont favorables ! La montagne qui s'écroule, c'est Houmbaba, sans aucun doute ! Nous triompherons de lui ! Ne perdons donc pas de temps. En route !

Le deuxième jour, ils marchèrent de nouveau six cents kilomètres. Et durant la nuit qui suivit, Gilgamesh fit un nouveau songe. Un buffle de la steppe l'attaquait, un buffle effrayant qui mugissait, qui fendait la terre de ses sabots et soulevait jusqu'au ciel des nuages de poussière. Mais au moment où il allait encorner Gilgamesh, l'animal lui prit la main et lui donna à boire de son outre[1]. Enkidou y vit un présage encore plus favorable que l'écroulement de la montagne.

– Le buffle, traduisit-il, c'est Shamash, le dieu-soleil, dont tu as imploré l'aide. Et la main qu'il te tend ainsi que l'eau qu'il t'offre indiquent qu'il nous viendra en aide en cas de besoin.

Au troisième jour, ils arrivèrent au bout de la steppe. En trois jours seulement, ils avaient parcouru mille cinq cents kilomètres, que l'on franchit ordinairement en un mois et demi.

Devant eux se dressait maintenant la Montagne qui portait la Forêt des Cèdres.

À sa vue, Enkidou et Gilgamesh furent saisis de respect et d'effroi mêlés. La Montagne était majestueuse, couverte de cèdres aux troncs puissants et élancés. Leurs cimes trouaient les nuages et la lumière semblait ne jamais pénétrer dans leur sous-bois.

– Attendons demain pour nous y enfoncer, décida Gilgamesh.

Maintenant que la steppe était derrière eux, c'était lui qui prenait la direction des opérations.

---

1. **Outre :** peau de bouc cousue en forme de sac, pour transporter des liquides.

Ce soir-là, face à la Montagne, ses prières se firent plus longues et plus pressantes. À l'heure où le Soleil plongeait à l'horizon, il dessina sur le sol un cercle, aussi rond que l'était le disque de Shamash. Et il y déposa une offrande qu'il avait apportée d'Ou-
70 rouk. Alors, les paumes levées et tournées vers les derniers rayons du Soleil, les yeux remplis de larmes, Gilgamesh pria d'une voix plus forte qu'à l'accoutumée :

– Ô Shamash ! Ce que tu as promis à ma mère, réalise-le. Viens à mon aide ! Exauce-moi !

75 Il s'adressa ensuite à la Montagne en ces termes :

– Ô Montagne, envoie-moi un message d'espoir.

Le message vint sous forme d'un troisième et dernier songe :

– Je regardais le dieu Anzou[1] dans le ciel, raconta-t-il le lendemain à Enkidou. Soudain il s'élança sur nous comme un nuage.
80 C'était épouvantable. Son aspect était monstrueux. Sa bouche était du feu et son haleine crachait la mort. Mes mains empoignèrent ses ailes.

Comme à son habitude, Enkidou n'y vit rien que de rassurant.

Dès que Shamash dora le haut de la Montagne de ses pre-
85 miers rayons, Enkidou et Gilgamesh s'équipèrent de leurs lourdes armes :

– Allons-y !

Alors ils entendirent distinctement retentir la voix de Shamash :

– Allez-y vite, avant que Houmbaba ne se cache au plus pro-
90 fond de la forêt. Il n'a pas encore revêtu ses sept cuirasses. Il n'en a endossé qu'une seule.

Enkidou se mit à trembler de tous ses membres.

---

1. **Anzou :** divinité apparaissant sous les traits d'un immense aigle à tête de lion et baptisé aussi « oiseau tonnerre », car il pouvait déclencher la foudre ; serviteur du dieu Enlil, il était si avide de puissance qu'il déroba à son maître les « tables du destin » qui permettaient à celui qui les possédait de commander le destin de tout être.

Chapitre 10

Le combat contre le géant Houmbaba

Depuis le matin, Enkidou et Gilgamesh progressaient parmi les buissons et les aliboufiers[1] vers la Montagne qui sert de piédestal à la déesse Ishtar. Sur ses flancs, la Forêt des Cèdres s'étendait, luxuriante[2]. À son orée, Enkidou et Gilgamesh s'arrêtèrent longuement pour en scruter l'épaisseur et évaluer la hauteur des arbres. L'odeur des cèdres embaumait l'air ambiant.

Comme perdu, le regard fixe, Enkidou y était pourtant insensible. Autant la steppe était son royaume, autant la Forêt le mettait mal à l'aise. Il n'y était pas né, il n'y avait jamais vécu. La seule fois où il s'en était approché par curiosité, il s'était arrêté net à son orée[3]. D'avoir aperçu Houmbaba l'avait certes dissuadé d'y pénétrer. Mais c'était aussi les arbres, ces arbres majestueux et inquiétants. À qui savait observer, les hautes herbes de la steppe ne cachaient rien : le passage du moindre animal y dessinait un sillon. Les arbres, eux, cachaient tout. Le danger pouvait venir de leur cime, des branches, de l'arrière d'un tronc...

– Mes jambes ne me portent plus ! s'exclama-t-il.

Gilgamesh l'encouragea à plus de hardiesse :

– Ne laisse pas la faiblesse t'envahir ! Rugis à pleine voix, et tes genoux ne trembleront plus !

Dans cette Forêt dense, il n'était pas difficile de trouver Houmbaba. Partout où il passait, il se frayait un chemin. Ses bras de géant avaient brisé les branches des arbres qui le gênaient. Les bas-côtés, piétinés, formaient comme un tunnel de verdure qu'il était facile d'emprunter.

– Allons-y ! dit Gilgamesh, impatient d'en découdre avec Houmbaba.

1. **Les aliboufiers :** petits arbres fournissant le benjoin (une résine aromatique).
2. **Luxuriante :** qui pousse avec abondance.
3. **Orée :** entrée, bord, lisière.

Il vérifia que son couteau était bien attaché à sa ceinture puis empoigna son épée d'une main et sa hache de l'autre. Enkidou le
30 suivit, les sens en alerte et la peur au ventre.

Après quelques enjambées, un énorme fracas retentit puis ils sentirent la terre onduler sous leurs pieds. D'abord lentement, puis de plus en plus rapidement. Les racines des cèdres bougèrent dans les profondeurs du sol, sans toutefois provoquer la chute d'aucun
35 d'eux.

– Le rire d'Houmbaba ! dit Enkidou, pris de panique.

C'était en effet le rire du géant qui secouait le sol de ses éclats. Houmbaba les avait vus venir de loin. Et il riait de ces malheureux, de leur démarche, de leurs hésitations, de leurs armes
40 inoffensives !

– Il va nous massacrer comme poussins dans l'herbe fraîche, poursuivit Enkidou.

– Mon cœur a peur, à moi aussi, concéda Gilgamesh. Et il ne se calmera pas vite. Mais qui méprise la mort établit sa renommée !
45 Et Houmbaba leur barra le chemin ! Sans pouvoir dire d'où il avait surgi, Enkidou et Gilgamesh se trouvèrent face à face avec le géant. Tous deux avaient beau être grands, bien plus grands que le commun des mortels, leur taille, comparée à la sienne, était bien misérable ! Sa tête était grosse comme celle de trois buffles ! Les
50 touffes de sa barbe étaient aussi drues que les champs d'orge en été. Sa poitrine avait la largeur de deux portes d'une maison.

– Pourquoi venez-vous jusqu'à moi ? Pour me tuer avec vos jouets d'enfants ? Pauvres minables ! Je vais donner votre chair à l'aigle et au vautour ! Ou plutôt non ! J'ai faim et je vais me remplir
55 la panse de vos carcasses ! Ah ! Ah ! Ah !

Joignant le geste à la parole, Houmbaba étendit ses grosses mains pour attraper les deux « minables ». Mais ceux-ci, plus rapides que l'eau vive, s'esquivèrent, se réfugièrent derrière un cèdre.
60 Gilgamesh levait sa hache, brandissait son épée. Enkidou tenait le poignard acéré avec lequel il avait l'habitude d'égorger les lions de la steppe. Houmbaba en rit de nouveau. Qu'est-ce qu'ils étaient ridicules, ces petits hommes ! Sa bouche cracha une langue de feu.

Le combat était inégal. À l'évidence, il était perdu d'avance.
65 Comme les Anciens d'Ourouk avaient eu raison de mettre

Gilgamesh en garde contre son ambition ! « Tu n'es qu'un enfant », lui avaient-ils dit !

– Il avance ! cria Enkidou. Il va nous tuer l'un après l'autre !

Alors, se souvenant de la prière de Ninsoun la bufflonne et des supplications de Gilgamesh, Shamash, le dieu-soleil, décida d'intervenir. Il convoqua tous les vents de l'univers et les lança ensemble contre Houmbaba. Dévalant du nord, Blizzard le Glacial éteignit sa langue de feu. Soufflant de l'ouest, Ouragan le Violent le déstabilisa. Accourant de l'est, Tourmente la Cinglante lui lacéra le visage. Remontant du sud, Sirocco le Chaud lui brûla les yeux. La Montagne vacilla sur sa base. La Forêt devint comme ivre, pleine d'agitations et de mugissements. Mais ce n'était pas des cris d'Houmbaba qu'elle retentissait. Enveloppé de ces airs furieux, il était paralysé. Il ne pouvait ni avancer, ni reculer, ni voir.

Enkidou et Gilgamesh en profitèrent pour se ruer sur lui. Gilgamesh porta le premier coup. Sa hache lui trancha net le jarret. L'épée d'Enkidou lui transperça la cuisse gauche. Hurlant de douleur et plus encore de fureur, Houmbaba s'effondra. Son corps était tel que dans sa chute il entraîna celle de plusieurs arbres. Les deux assaillants reculèrent juste à temps pour ne pas être écrasés sous le poids du monstre et des troncs d'arbre.

Les vents s'étaient retirés, laissant planer un étrange silence sur la Montagne.

Houmbaba gisait maintenant à terre, blessé aux deux jambes, les bras et la tête enchevêtrés dans les branchages. Debout sur ce grand corps allongé, Gilgamesh pointait son épée à l'endroit du cœur, prêt à l'y enfoncer.

– Tu as perdu, Houmbaba ! Moi, Gilgamesh, je te tiens à ma merci !

Comprenant que sa dernière heure était arrivée s'il ne tentait rien, Houmbaba essaya de ruser :

– Je reconnais ma défaite, dit-il. Mais laisse-moi la vie sauve et la Montagne et la Forêt sont à toi.

– Tu proposes de me donner ce qui m'appartient déjà ! s'exclama Gilgamesh. Puisque je te tiens au bout de mon épée !

– Tue-le ! cria Enkidou. Ne vois-tu pas qu'il cherche à gagner du temps ? Achève-le.

– C'est comme cela que tu me remercies, toi le Sauvage ! répondit Houmbaba. Quand tu t'es naguère approché de la Forêt, crois-
105 tu que je ne t'ai pas vu ? Je n'aurais pas dû t'épargner ce jour-là !

– Tant pis pour toi ! répliqua Enkidou. Car, moi, je ne vais pas hésiter. Tu es un monstre. Tu es l'esprit du Mal.

Et Gilgamesh restait là debout sur le ventre d'Houmbaba, l'épée toujours menaçante. Tout marché étant impossible avec Enkidou,
110 Houmbaba fit une nouvelle offre à Gilgamesh :

– Ta gloire est désormais établie. Qu'est-ce que ma mort t'apporterait de plus ? Laisse-moi la vie sauve, et je deviendrai ton esclave !

Gilgamesh éprouva alors un immense mépris pour cet
115 Houmbaba. Cette terreur de la région avait donc peur de mourir ! Ce géant, ce monstre n'avait même pas le courage du moindre des hommes !

Et de dégoût Gilgamesh le frappa à la gorge.

Houmbaba mourait. Mais avant de glisser définitivement dans le
120 royaume des Ombres, il eut le temps d'interpeller ses vainqueurs :

– Ce n'est pas vous qui m'avez vaincu, c'est Shamash, le dieu-soleil ! Mais vous oubliez que moi, je suis le protégé de Wêr, le dieu du Mal. Il me vengera. Toi, le Sauvage, tu ne vas pas tarder à me suivre. Quant à toi, Gilgamesh, un monde de souffrances t'at-
125 tend… Soyez maudits, tous les deux !

Et Houmbaba expira.

Chapitre 11

La déesse et le Taureau céleste

– Nous avons vaincu le monstre ! s'écrièrent les deux amis. Nous avons gagné !

Enkidou et Gilgamesh exultaient, dansaient, s'embrassaient. La peur, ils l'avaient oubliée. Les périls, ils les avaient surmontés. La
5 malédiction d'Houmbaba, ils n'y pensaient pas. Il n'y avait que le bonheur d'avoir réalisé un exploit que personne avant eux n'avait accompli et que nul, après eux, n'égalerait.

Chapitre 11

Le cadavre d'Houmbaba commençait toutefois à empester et infecter la Forêt. Pour éviter que toute la vie que portait la Montagne ne fût contaminée, Shamash fit tomber une pluie abondante et bienfaisante. La Forêt s'en lava avec soulagement et avidité. Et les deux amis firent comme la Forêt. Ils se lavèrent de cette eau bienfaisante. Ils s'en inondèrent pour effacer les traces du combat sur leur corps.

– À nous maintenant tout ce beau bois précieux !

Ils abattirent les plus beaux cèdres. Unissant leurs forces, donnant alternativement de grands coups de hache, ils coupèrent le plus magnifique, celui dont la cime perçait les cieux.

– Faisons-en une porte pour le temple du dieu Enlil à Nippour[1], suggéra Gilgamesh.

Enkidou approuva et, en homme des steppes habitué à évaluer distance et taille d'un simple coup d'œil, ajouta :

– 36 mètres de haut, 12 de large et 50 centimètres d'épaisseur, cela fera une belle porte.

– Et son linteau[2] sera d'un seul tenant[3], renchérit Gilgamesh.

Spontanément, ils retrouvaient leur complicité d'antan. Il semblait même que d'avoir ensemble affronté Houmbaba les liait plus profondément encore que par le passé.

– Construisons un radeau et transportons tout ce bois par l'Euphrate[4].

Avant d'embarquer, pendant qu'Enkidou observait le courant du fleuve, Gilgamesh retourna sur la Montagne dans la Forêt des Cèdres. De son poignard, il trancha la tête d'Houmbaba, l'enveloppa dans des feuilles de roseaux et l'emporta. Personne ne pourrait ainsi douter de son exploit.

À Nippour, Enkidou et Gilgamesh échangèrent leur radeau contre un bateau et se dirigèrent vers Ourouk. La nouvelle de leur victoire les précéda de plusieurs heures. Dès qu'elle se répandit, plus rapide que l'oiseau, les habitants d'Ourouk se regroupèrent

---

1. **Nippour :** ancienne ville de basse Mésopotamie (aujourd'hui Niffer, en Irak).
2. **Linteau :** encadrement supérieur d'une porte.
3. **D'un seul tenant :** d'un seul morceau (ce qui est plus beau).
4. **L'Euphrate :** fleuve traversant la Syrie et l'Irak.

sur le port. Ils riaient, ils se congratulaient, ils étaient fiers. Chacun considérait l'exploit comme le sien propre.

– Nous l'avons vaincu ! entendait-on. Nous sommes les plus forts !

45 On se bousculait dans la bonne humeur pour se faufiler jusqu'à la berge et être parmi les premiers à apercevoir la voile de leur bateau.

– Ils arrivent !

Une clameur monta jusqu'au ciel. Et si la chose avait été pos-
50 sible, elle serait montée plus haut encore quand les deux héros débarquèrent, Gilgamesh le premier. Son apparition déclencha une bousculade monumentale dans la foule, chacun voulant le toucher, l'embrasser, le féliciter. Enkidou faisait de son mieux pour lui frayer un passage.

55 Du port aux remparts, des remparts à la grand-place et au palais, les deux hommes progressaient en une marche triomphale. De chaque côté de la route puis des rues, la ville entière leur faisait une haie d'honneur.

– Gloire à toi, Gilgamesh! Tu es à jamais le plus grand. Gloire
60 à toi aussi, Enkidou ! Ton nom restera à jamais dans la mémoire d'Ourouk.

On levait et abaissait sur leur passage des feuilles de palmier. Gilgamesh saluait à droite, à gauche, souriait, prenait dans ses bras un enfant qui, s'étant échappé des jambes de ses parents, avait
65 couru vers lui. Soudain il passa son bras sur l'épaule d'Enkidou. Et, jusqu'au palais, les deux hommes marchèrent ainsi côte à côte, sous les clameurs de la Renommée.

Sitôt dans son palais, Gilgamesh revêtit des vêtements propres, s'enveloppa d'un manteau, ceignit son écharpe royale et coiffa son
70 turban. Ainsi vêtu de ses habits d'apparat[1], il alla voir sa mère, la bufflonne Ninsoun, à qui il raconta son aventure. Tous se rendirent ensuite dans le temple de Shamash pour le remercier de son aide.

Cette nuit-là Ourouk ne dormit pas. Un tel événement valait
75 bien de faire la fête jusqu'au matin. De sa terrasse dominant la

1. **Habits d'apparat :** habits de cérémonie.

ville, Gilgamesh contemplait les feux de joie érigés en son honneur. Il regardait, il levait la tête, il s'emplissait les poumons de l'air parfumé de la nuit :

– Je suis le plus grand ! pensa-t-il.

80 Du haut du ciel, Ishtar, la déesse de l'Amour, aperçut Gilgamesh ainsi superbement paré et rayonnant de gloire. Elle en tomba instantanément amoureuse. N'étant pas de nature langoureuse[1], elle descendit aussitôt sur la terrasse où se trouvait Gilgamesh et entreprit de le séduire :

85 – Fais de moi ta femme, lui dit-elle. Tu n'auras pas à le regretter. Je t'offrirai un char en or et lazulite[2]. Tu vivras dans mon temple lambrissé[3] des bois les plus précieux. Les prêtres d'Aratta[4], mes serviteurs, te baiseront les pieds. Les rois du monde entier viendront se prosterner devant toi et te combleront de cadeaux. Tu
90 seras riche, immensément riche ! Tu posséderas des troupeaux de poulains racés[5], de chevaux rapides, de bœufs résistants. Tu as la gloire, moi je t'offre l'amour, la puissance et l'argent !

De l'avis de tous, hommes et dieux, Ishtar était la plus belle des déesses et de toutes les femmes. Aussi ne doutait-elle pas de son
95 pouvoir de séduction, renforcé de surcroît de somptueux présents. Quel ne fut donc pas son étonnement d'entendre Gilgamesh repousser ses avances !

– Qui serait assez fou, dit-il, pour t'épouser. De quel prix devrais-je payer ton amour ? De ma liberté ? De ma vie ? Ton
100 amour... Ce n'est pas sérieux ! Tu es un brasier qui s'éteint à la première pluie. Qu'est devenu Tammouz, ton premier amant que tu avais juré d'aimer pour l'éternité ? Tu l'as tué ! Et le petit berger qui veillait sur ton troupeau ? Empoisonné ! Et cet autre qui te préparait de bons petits pains cuits sous la cendre ?
105 Métamorphosé en loup, et que tes chiens pourchassent à jamais ! Quant à Ishoullanou, le jardinier de ton père qui t'apportait chaque jour des corbeilles de dattes ? Changé, lui, en crapaud !

---

1. **De nature langoureuse :** qui attend en se désespérant ; indolente.
2. **Lazulite :** pierre précieuse, d'un bleu intense.
3. **Lambrissé :** revêtu de lames de bois.
4. **Aratta :** riche cité en conflit avec Ourouk.
5. **Poulains racés :** jeunes chevaux de race.

Dans la peau de quelle créature as-tu prévu de me glisser si je me laisse prendre à ton piège ?

110 Humiliée, la déesse rabattit son écharpe sur son cou comme pour se draper dans une dignité offensée :

– Tu vas me le payer ! siffla-t-elle, avant de disparaître dans un nuage.

Ishtar ne perdit pas en effet un instant. Elle alla aussitôt se 115 plaindre à ses parents, à Anou, son père, et à Antou, sa mère :

– Père ! sanglota-t-elle, Gilgamesh m'a insultée. Il m'a reproché mes amants et mes prétendus crimes.

Le grand Anou connaissait aussi bien l'orgueil de Gilgamesh que les caprices de sa fille. En tant que maître de l'Univers, il avait des 120 sujets de préoccupation bien plus sérieux que les mésaventures sentimentales d'une jeune déesse, fût-elle sa fille.

– S'il t'a insultée, c'est que tu l'as provoqué, répondit-il.

– Alors tu prends sa défense ? Il ne respecte pas notre divine dignité, et tu m'en rends responsable !

125 – Ne serait-ce pas, par hasard, qu'il t'aurait repoussée ? répliqua ironiquement Anou.

Ishtar entra dans une de ces colères dont elle avait la spécialité chaque fois qu'elle n'obtenait pas ce qu'elle voulait. Elle cria, pleura, tempêta, trépigna, se roula aux pieds de son père.

130 – Puisqu'il en est ainsi, dit-elle soudain, j'exige de disposer du Taureau céleste. Pour qu'il tue Gilgamesh et détruise sa maison.

La demande stupéfia Anou. Jamais il n'avait lâché le Taureau céleste sans un motif grave. L'animal était pire qu'un monstre. Sa puissance le rendait réellement invincible. Hommes et villes, 135 il détruisait tout sur son passage. Les malheureux qu'il ne piétinait pas étaient condamnés à mourir de famine. Sept années de fourrage suffisaient à peine à sa nourriture quotidienne. Même l'opulente Ourouk n'avait pas tant de réserves dans ses greniers. Le Taureau céleste n'intervenait que dans les cas de châtiment 140 suprême. Dans sa sagesse, le grand Anou hésitait à l'envoyer détruire Ourouk pour satisfaire l'amour-propre de sa fille.

– Te rends-tu compte de ce que tu demandes ? lui dit-il. Ourouk serait rayée de la carte pour la seule raison que son roi ne veut pas faire de toi sa femme !

145 Mais la déesse Ishtar n'en démordait pas.

– Gilgamesh et ses sujets n'auront que ce qu'ils méritent ! répliqua-t-elle. De toute façon, les hommes sont nés pour mourir !

Elle trépignait, elle voulait, elle exigeait le Taureau céleste. Plus son père tentait de la raisonner, plus elle s'entêtait :

150 – Si tu ne me le donnes pas, menaça-t-elle enfin, je descends aux Enfers réveiller les morts et je les envoie dévorer les vivants !

Le grand Anou fut donc obligé d'obtempérer. Il tira sur la corde qui tenait attaché le Taureau céleste quelque part dans les confins de l'univers. L'animal était aussi furieux d'être dérangé qu'impa-155 tient de s'ébrouer. La déesse Ishtar le conduisit aussitôt sur terre, aux portes d'Ourouk.

Et elle lâcha dans la ville le Taureau céleste.

En sept lampées[1], il assécha presque l'Euphrate. Son souffle fut un ouragan dévastateur. Le bruit de ses sabots était plus assourdis-160 sant que le tonnerre. Sa course fit trembler les solides murailles de la ville. Pour tous, ce furent des minutes de fin du monde.

Cent guerriers accourus attaquer le monstre tombèrent dans les précipices que creusait chaque pas du Taureau céleste. Deux cents autres tombèrent dans une nouvelle crevasse. Puis trois cents sol-165 dats disparurent encore dans un gouffre.

Il ne resta bientôt plus qu'Enkidou et Gilgamesh pour stopper la course du monstre. De son rire, la déesse Ishtar encouragea le Taureau céleste à redoubler encore de vitesse.

L'animal s'arrêta, gratta le sol de ses sabots, prit son élan.

170 La terre s'entrouvrit sous Enkidou. Mais celui-ci bondit, saisit à temps le Taureau par les cornes. Le monstre l'inonda de sa bave au visage, le couvrit de ses excréments. Mais Enkidou tint bon. Il ne lâcha les cornes du Taureau que lorsqu'il fut assuré de ne pas tomber dans un gouffre et de se retrouver sur de la terre ferme.

175 – Mon ami, dit-il à Gilgamesh qui s'était porté à son secours, nous avons tué le géant Houmbaba, nous allons bien réussir à nous débarrasser de ce monstre. Je vais me placer derrière lui et

1. **Lampées :** grandes gorgées.

lui arracher les poils de la queue. Pendant ce temps-là, place-toi devant lui, et attaque-le au garrot[1] et entre les cornes.

180 Après plusieurs tentatives infructueuses, Enkidou tira l'animal par la queue. Alors Gilgamesh frappa de plusieurs coups de poignard le Taureau entre le garrot et les cornes.

Et le Taureau céleste s'effondra dans un souffle qui détruisit une partie de la ville.

185 Enkidou et Gilgamesh lui arrachèrent le cœur pour l'offrir à Shamash, le dieu-soleil. Puis ils s'assirent tous deux l'un à côté de l'autre comme des frères. Même si chacun, dans Ourouk, célébrait leur exploit, eux ressentaient une immense fatigue.

C'est alors que des pleurs, des lamentations, des cris de désola-190 tion recouvrirent toute la ville. Enkidou et Gilgamesh se redressèrent. Qui osait ainsi déplorer leur victoire ?

C'était la déesse Ishtar qui, du haut des remparts d'Ourouk, déversait ses plaintes de deuil :

– Hélas ! hélas ! Inexpiable sacrilège[2] ! Des impies, des insolents 195 ont tué le Taureau divin !

Ivres de colère, Enkidou et Gilgamesh se mirent à dépecer[3] le Taureau céleste. Ils lui arrachèrent une patte et la jetèrent au visage d'Ishtar :

– Le voilà ton Taureau ! Dans une minute, on te fera une 200 écharpe avec ses boyaux !

La déesse Ishtar rassembla ses prêtresses et leur demanda de déplorer[4] avec elle la perte de son « compagnon ».

– Viens donc ici, lui cria, exaspéré, Enkidou. Qu'on te fasse subir le même sort !

205 Puis Enkidou et Gilgamesh allèrent longuement se laver dans l'Euphrate avant de regagner le palais sous les vivats[5] de la foule. Ce fut une liesse plus grande encore que celle déclenchée par leur retour victorieux de la Forêt des Cèdres.

---

1. **Garrot :** partie du corps chez les grands mammifères située entre la tête et l'encolure.
2. **Inexpiable sacrilège :** profanation de lieux ou de choses sacrés, qu'aucun repentir, qu'aucune punition ne peut réparer.
3. **Dépecer :** découper en morceaux.
4. **Déplorer :** fait de se lamenter, de manifester sa douleur.
5. **Vivats :** acclamations.

Clefs d'analyse

Chapitres 9-11

Action et personnages

1. Qui est Houmbaba ? Quelles sont ses particularités physiques et morales (chapitre 9) ?
2. Quelles interprétations Enkidou donne-t-il aux différents songes de Gilgamesh (chapitre 9) ?
3. De quelle façon Houmbaba est-il vaincu ? Contre qui combat-il en réalité (chapitre 10) ?
4. Quelle malédiction Houmbaba lance-t-il avant de mourir contre ses deux meurtriers (chapitre 10) ?
5. Pourquoi la déesse Ishtar veut-elle séduire Gilgamesh ? Comment s'y prend-elle (chapitre 11) ?
6. Qui est le Taureau céleste ? Quel est son rôle (chapitre 11) ?
7. Quel sacrilège commettent Enkidou et Gilgamesh (chapitre 11) ?

Langue

8. Relevez au moins trois adverbes de manière dans ces différents chapitres.
9. « Ô Shamash ! » ; « Ô Montagne » (chapitre 9) : quelle est la nature et la fonction de « Ô » ?
10. Relevez dans le chapitre 10 trois manières différentes d'exprimer le complément circonstanciel de lieu.
11. Repérer dans le chapitre 11 au moins deux exemples d'adjectif qualificatif au superlatif.
12. Relevez au moins deux façons de traduire la cause dans le chapitre 11.

Genre ou thèmes

13. Relevez dans le chapitre 11 les arguments qu'avance Ishtar pour séduire Gilgamesh.
14. Relevez dans le chapitre 11 les arguments de Gilgamesh pour repousser les avances d'Ishtar.

Écriture

15. Par deux fois Ourouk accueille triomphalement Enkidou et Gilgamesh. Décrivez à votre tour une scène de liesse populaire.
16. Houmbaba meurt en maudissant ses meurtriers. Développez ses pensées.
17. Le chapitre 11 contient une scène entre un père (le dieu Anou) et sa fille (la déesse Ishtar). Imaginez à votre tour une scène entre un père et sa fille, ou entre une mère et son fils.

Pour aller plus loin

18. Cherchez la définition de l'expression « scène de dépit amoureux ». Dans quelle mesure s'applique-t-elle à l'entrevue entre Ishtar et Gilgamesh ?
19. Les légendes et récits fabuleux font souvent intervenir des animaux monstrueux. Donnez-en au moins un exemple.
20. Citez des œuvres littéraires, des films ou des bandes dessinées contenant des malédictions.

✻ *À retenir*

L'épopée exalte les exploits d'un héros. Ce héros est souvent d'une haute naissance (roi ou demi-dieu) et les exploits qu'il accomplit sont souvent guerriers. Pour leur donner une valeur exceptionnelle, l'épopée fait souvent intervenir le merveilleux, qui peut être redoutable (comme ici avec Houmbaba et le Taureau céleste). Elle procède par ailleurs à un grossissement systématique de l'action.

Chapitre 12

Débat entre les dieux

Que fallait-il faire ? Partagés sur la conduite à tenir, les grands dieux délibéraient entre eux. Enlil, Ea, Shamash écoutaient Anou, le maître des Cieux et de l'Univers.

– Je reconnais volontiers que ma fille, la déesse Ishtar, est pleine de caprices. Mais après Houmbaba, ils viennent de tuer le Taureau céleste. Ces crimes ne doivent pas rester impunis ! Sinon ces deux-là se croiront tout permis ! Jusqu'où n'iront-ils pas alors ?

Après un long silence de réflexion, Anou ajouta :

– L'un des deux doit mourir !

Malgré tout le respect qu'ils devaient à Anou, les dieux contestèrent sa proposition. Si tous approuvaient le principe de la punition, pourquoi ne condamner que l'un d'eux ? Enkidou et Gilgamesh avaient perpétré leurs crimes ensemble, ils devaient être châtiés ensemble.

– C'est oublier qu'ils ne sont pas égaux, objecta Enlil. Gilgamesh est plus proche de nous que des humains. Il est pour deux tiers d'essence divine.

L'argument méritait examen. Les dieux pouvaient difficilement se nuire entre eux. Comment reprocheraient-ils à Gilgamesh d'avoir tué le Taureau céleste si eux-mêmes condamnaient la part céleste, certes incomplète mais bien réelle, de Gilgamesh ? Enkidou, lui, n'était qu'un humain.

– Après tout, intervint Ea, cet Enkidou a connu un destin exceptionnel. Quoi qu'il fasse désormais, il ne pourra croître en gloire. Il peut donc bien mourir.

La remarque parut pleine de bon sens. Seul Shamash la contesta violemment.

– Faire mourir Enkidou, protesta-t-il, serait injuste et, en outre, injurieux à mon égard. C'est moi qui lui ai permis de vaincre Houmbaba. Sans les vents que j'ai déchaînés, ni lui ni Gilgamesh n'auraient triomphé du géant. À ce compte, je suis aussi coupable qu'eux !

– Le fait est, ricana Enlil, que tu as fait preuve d'une étrange bienveillance envers les hommes ces derniers temps. Aurais-tu pitié de ces misérables ?

– Tu m'insultes ! s'écria Shamash.

Anou leva la main pour imposer le silence. Tous se turent aussitôt. Chacun attendit le verdict du maître des cieux.

– La justice, décréta-t-il, exige en effet que tous deux soient châtiés. Mais la même justice exige également de ne pas traiter de la même façon l'humain et le divin : donc Enkidou mourra ! Quant à Gilgamesh, il vivra, mais dans la souffrance et le désespoir. Il va savoir ce qu'il en coûte de perdre son meilleur ami !

Chapitre 13

La mort d'Enkidou

Au matin, Enkidou raconta à Gilgamesh son cauchemar de la nuit. Il avait vu les dieux tenir conseil et décréter sa mort.

Enkidou en était encore tout en sueur.

– Je vais franchir le seuil de la Mort, se désespérait-il, et mes yeux ne te verront plus, toi, mon frère bien-aimé.

– Souvent les rêves s'interprètent en sens contraire, lui répondit Gilgamesh pour l'apaiser.

– Non, crois-moi ! Ce conseil des dieux était bien réel ! Je les voyais, je les entendais ! Ils m'envoient chez la Mort pour me punir d'avoir tué le Taureau céleste ! Ce n'est pas possible ! Allons à Nippour supplier Enlil. Il n'a sûrement pas oublié que j'ai sculpté pour son temple la belle porte en bois de cèdre. Il saura plaider ma cause et obtenir du grand Anou révocation[1] de ma condamnation !

Gilgamesh en convint. De toute façon il aurait dit et fait n'importe quoi pour sauver son ami. Il n'y avait plus une minute à perdre. Tous deux partirent sur-le-champ pour Nippour.

---

1. **Révocation :** annulation officielle.

Dès leur arrivée, Enkidou se précipita vers le temple d'Enlil. Il s'adressa à la porte comme à un être humain :

– Ô, toi pour qui j'ai choisi le plus beau bois de cèdre pour te fabriquer ; moi qui t'ai charpentée, transportée jusqu'ici, installée…

Enkidou n'acheva pas son invocation. Il suait à grosses gouttes, bien plus sous l'effet de la fièvre que du soleil. En même temps il tremblait comme de froid. Le délire le prit. Et son invocation à la porte tourna à la malédiction.

– Si j'avais su, ô porte, que tu me récompenserais par mon arrêt de mort, je t'aurais débitée en petits morceaux… D'ailleurs il n'est pas trop tard ! Une hache ! Qu'on me donne une hache !

Inquiet, Gilgamesh le fit asseoir sur les marches du temple et tenta de le calmer :

– Laisse-moi prier à ta place. Enlil, père des dieux, envoie à mon ami des songes favorables. En remerciement, je te ferai ériger une statue en or massif. Je te donnerai tout ce que tu me demanderas.

Mais plus Gilgamesh le priait, moins Enlil écoutait ses criailleries. Lors du conseil des dieux, il avait approuvé la mise à mort d'Enkidou. Il n'allait pas se déjuger maintenant !

Et le Mal saisit Enkidou et ne le quitta plus. Des douleurs le torturèrent. L'homme des steppes qui courait si vite qu'il semblait voler ne put bientôt plus marcher. Se tenir debout devint au-dessus de ses forces.

Gilgamesh le fit coucher sur un brancard de branchages et de feuilles tressées de papyrus[1]. Il fallait vite rentrer à Ourouk où des médecins expérimentés pourraient le guérir. Durant tout le trajet, Gilgamesh resta à côté du brancard. D'une main passée sous sa nuque, il relevait doucement la tête d'Enkidou pour le faire boire. Il lui faisait manger des bouchées de galette d'orge et des tranches de fruits qu'il écrasait entre ses doigts pour faciliter leur absorption. Il le frictionnait lui-même d'onguents[2] recommandés par les Anciens de Nippour.

Mais rien n'y faisait. Enkidou avait-il seulement conscience des soins que lui prodiguait Gilgamesh ? Il délirait de plus en plus.

---

1. **Papyrus :** plante à larges feuilles poussant au bord de certains fleuves d'Orient et d'Afrique.
2. **Onguents :** baumes à base de résine et de corps gras.

Parfois une légère fente de ses paupières laissait croire qu'il reprenait ses esprits. Ses lèvres remuaient. Gilgamesh s'en approchait au plus près pour saisir le murmure qui s'en échappait.

Sous l'empire des fièvres, Enkidou maudissait Fille d'Amour. Il lui souhaitait les pires malheurs. D'être battue comme l'argile du potier. De sombrer dans la misère. De vivre dans la rue. D'être méprisée.

Enkidou maudissait Fille d'Amour de l'avoir civilisé, humanisé, de lui avoir révélé ce qu'était la vie, donc la mort. Les animaux de la steppe, eux, vivaient sans avoir conscience de la mort. Enkidou regrettait ce temps où son corps se mouvait dans l'innocence, ce corps souffrant qui allait bientôt descendre dans le Pays des Ténèbres.

Gilgamesh en était troublé et fort peiné : c'était comme si, regrettant sa vie dans la steppe, Enkidou regrettait de l'avoir connu. Il se disait toutefois que son ami, son frère, délirait ou qu'il avait mal interprété ses propos.

Gilgamesh dépêcha des messagers pour que dès leur arrivée les médecins les plus réputés d'Ourouk s'occupent d'Enkidou. Cette fois il n'y eut pas d'accueil triomphal dans les rues. Chacun déplorait le triste sort d'Enkidou le Vaillant. Et on plaignait Gilgamesh de perdre un ami si proche. Comment supporterait-il un tel malheur ?

Gilgamesh fit installer Enkidou dans la pièce la plus confortable de son palais. Servantes, médecins et prêtres de Shamash s'affairèrent. On apportait de l'eau et du linge propre. On prépara des potions et des poudres. On brûla de l'eucalyptus pour purifier l'air. On invoqua la pitié des dieux.

Et le miracle se produisit.

Un matin, aux premières lueurs de l'aube, Enkidou put lever la tête, s'asseoir à demi dans son lit. Gilgamesh en aurait pleuré de joie ! Se tournant vers l'est où le Soleil commençait d'embraser le ciel, Enkidou prononça ces paroles :

– Je m'adresse à toi, ô Soleil, car le destin m'est contraire. À quoi bon naître s'il faut mourir un jour ? Malheur à ceux qui m'ont fait aimer la vie ! Car pourquoi l'aimer s'il faut la quitter ?

Le dieu-soleil entendit Enkidou. Venue du plus haut du ciel, une voix lui répondit :

– Enkidou, pourquoi maudis-tu la vie ? Fille d'Amour t'a nourri, vêtu, donné du plaisir. Gilgamesh est devenu pour toi un frère jumeau. Tous, dans Ourouk, te respectent. Regretter de vivre, c'est regretter d'aimer, d'être heureux.

À ces mots, Enkidou s'apaisa. Il eut honte des paroles que les fièvres, les souffrances et la peur de mourir lui avaient fait prononcer :

– Fille d'Amour, dit-il, que ma bouche qui t'a maudite te bénisse ! Et toi, Gilgamesh, que les dieux t'accordent à jamais prospérité, bonheur et gloire !

De jour en jour Enkidou retrouvait ses forces et son appétit. La déesse Ishtar n'avait toutefois pas dit son dernier mot. Ce rétablissement la scandalisa. C'était une offense, un sacrilège ! Ces stupides médecins n'allaient tout de même pas se montrer plus forts que la puissance divine ! Ishtar parcourut toutes les contrées de l'univers où habitaient les dieux pour leur rappeler les décisions du conseil, le décret, irrévocable, du grand Anou. Il fallait qu'Enkidou meure Et le plus tôt serait le mieux !

Les cauchemars peuplèrent de nouveau les nuits d'Enkidou. L'un d'eux l'effraya particulièrement. Les cieux hurlaient. Quelqu'un s'approchait de lui. Son visage était sombre. Ses mains étaient des pattes de lion et ses ongles des serres[1] d'aigle. Il frappa Enkidou, le fit virevolter comme une corde à sauter, le piétina comme un buffle. Toute résistance était inutile.

– C'était Anzou ! dit Enkidou à Gilgamesh. Il m'a touché, métamorphosé en pigeon. Et il m'a conduit dans l'obscure demeure, au séjour de la déesse Irkalla, d'où tout retour est impossible. Les habitants y sont privés de lumière. Je voyais, j'entendais parler ceux qui avaient régné sur le pays. Ils déposaient devant Anou et Enlil des viandes rôties, du pain, ils versaient dans des outres de l'eau bien fraîche. Ceux-là n'étaient pas les plus malheureux. Mais les autres, les pauvres, les humbles, ils se nourrissaient de poussière, s'habillaient comme des oiseaux de nuit. Devant moi se tenait le grand prêtre purificateur. J'ai reconnu Etana, notre troisième souverain après le Déluge et qu'un Aigle avait emporté dans les cieux. Il conversait avec Soumouqan, le fils de Shamash et le

1. **Des serres :** des griffes d'oiseaux de proie.

dieu des Troupeaux. Surtout, dans la pénombre, impressionnante
125 d'autorité et de majesté, se tenait Ereshkigal, la Reine des Enfers. Bêlet-Çêri, sa secrétaire, était accroupie devant elle. À ma vue, elle lui tendit une tablette d'argile sur laquelle était inscrit mon nom. « Qui donc a conduit cet homme ici ? » s'écria-t-elle. « Le puissant Anzou. Et Enlil. »

130 À cette évocation du monde d'En-Bas, Gilgamesh comprit que son ami, son frère, était perdu. La Mort ne laissait jamais s'échapper ceux sur lesquels elle plantait ses griffes. Et Enkidou sut que Gilgamesh désormais savait.

– Ne m'oublie pas, lui demanda-t-il. Tant que tu penseras à moi,
135 je ne serai pas complètement mort.

Le lendemain de ce cauchemar, Enkidou commença à perdre de sa vigueur, à la grande incompréhension des médecins et des prêtres. Ils eurent beau redoubler d'efforts et de soins, Enkidou resta couché. Et le deuxième jour, après ce cauchemar, il en fut de
140 même. La Mort était assise sur son lit. Le mal empira les jours suivants. Le douzième jour, Enkidou ne bougeait plus.

Dans le monde d'En-Bas, la Reine des Enfers émietta la tablette d'argile portant le nom « Enkidou ».

Chapitre 14

Les funérailles d'Enkidou

Gilgamesh se pencha vers Enkidou :

– Quel est le sommeil qui t'a saisi pour que tu ne m'entendes plus ? demanda-t-il.

Mais Enkidou ne levait pas la tête. Il ne clignait pas des yeux.
5 Son cœur ne palpitait plus.

Alors Gilgamesh se précipita sur lui et le prit dans ses bras : Enkidou était mort ! Telle une lionne qui a perdu ses petits, Gilgamesh fit les cent pas autour du lit. Il s'arrachait ses cheveux bouclés. Il déchirait ses beaux habits.

10 Aux premières lueurs de l'aube, il sortit de son palais pour s'adresser à son peuple :

– Écoutez-moi tous ! C'est mon ami, mon frère, que je pleure à chaudes larmes. Vous tous, lamentez-vous avec moi !

Que les campagnes retentissent de cris de douleur !

15 Que les animaux de la steppe, les lions, les tigres, les guépards, les buffles, les daims,

Que l'eau pure de l'Euphrate,

Que le monde entier pleure Enkidou !

Enkidou ! tu étais ma hache, l'épée de ma ceinture et le bouclier 20 qui m'ont permis de remporter la victoire !

Gilgamesh convoqua les forgerons, les orfèvres, les ciseleurs pour qu'ils construisent une statue à la gloire et à la mémoire d'Enkidou :

– Je veux une statue comme on n'en a jamais érigé et comme on 25 n'en érigera jamais plus. Une sculpture monumentale, toute en or et en lapis-lazuli.

Durant sept jours et sept nuits, Gilgamesh interdit qu'on enterrât son ami, son frère. Il voulait se recueillir sur sa dépouille et le pleurer indéfiniment. Il pensait secrètement qu'Enkidou finirait par se 30 réveiller.

Mais il lui fallut se rendre à l'évidence.

Les funérailles d'Enkidou furent grandioses. Tous les habitants d'Ourouk revêtirent leurs habits de deuil pour suivre le lit somptueux sur lequel reposait Enkidou. Devant la porte du tombeau, 35 sur une grande table en bois d'if[1], Gilgamesh remplit de miel une coupe de cornaline[2]. Il la souleva pour la montrer à Shamash, le dieu-soleil.

Des guerriers déposèrent dans la tombe le lit autour duquel Gilgamesh disposa des offrandes, toutes plus somptueuses les 40 unes que les autres. Puis il s'adressa une dernière fois à son ami :

– Pour toi, mon frère, je resterai hirsute[3]. Je revêtirai une peau de lion et je parcourrai la steppe.

Quand tout fut fini, Gilgamesh rentra pleurer dans son palais :

– Et moi, dois-je mourir aussi ? se demanda-t-il soudain.

---

1. **If :** arbre de la famille des conifères, comme le pin ou le sapin.
2. **Cornaline :** pierre rouge orangé employée en bijouterie.
3. **Hirsute :** tout couvert de poils et de cheveux hérissés.

Clefs d'analyse

Chapitres 12-14

Action et personnages

1. Pourquoi les dieux décident-ils de punir Enkidou et Gilgamesh (chapitre 12) ?
2. Pourquoi la sanction divine n'est-elle pas la même pour Enkidou et pour Gilgamesh (chapitre 12) ?
3. Comment Enkidou pressent-il sa fin prochaine ?
4. Que reproche Enkidou à Gilgamesh et à Fille d'Amour, qui furent pourtant ses bienfaiteurs (chapitre 13) ?
5. Quelle description Enkidou fait-il du monde souterrain des morts (chapitre 13) ?
6. Que représente la tablette d'argile que la Reine des Enfers tient entre ses mains (chapitre 13) ?
7. Quelles sont les réactions de Gilgamesh à la mort de son ami (chapitre 14) ?

Langue

8. Dans les membres de phrases suivants : « ces crimes ne doivent pas rester impunis » ; « la remarque parut pleine de bon sens » (chapitre 12), donnez la nature et la fonction de « impunis » et de « pleine ».
9. Recherchez dans ces trois chapitres au moins trois expressions du but.
10. Recherchez dans un dictionnaire les différents sens du mot « métamorphose » (« Il m'a touché, métamorphosé en pigeon », chapitre 13).
11. Recherchez l'expression de l'ordre dans le chapitre 14.
12. De quoi Gilgamesh prend-il conscience à la fin du chapitre 14 ?

Genre ou thèmes

13. En quoi le chapitre 12 s'apparente-t-il à un procès avec des accusés, un juge, un avocat de la défense et un procureur (chargé de l'accusation) ?

14. En quoi le chapitre 14 s'apparente-t-il à une déploration ? Quelle différence existe-t-il entre une déploration et une oraison funèbre ?

Écriture

15. Selon certains dieux, la justice exige qu'Enkidou et Gilgamesh, coupables des mêmes crimes, subissent le même châtiment. Pour d'autres, au contraire, ce serait une injustice, car il faut tenir compte de la personnalité des criminels. Qu'en pensez-vous ? Où se trouve à votre avis la justice ?
16. Relevez les phrases ou les réflexions qui vous paraissent avoir une portée morale universelle.

Pour aller plus loin

17. Qu'appelait-on les Enfers (au pluriel) dans l'Antiquité gréco-romaine ? Qu'appelle-t-on l'enfer (au singulier) dans la religion chrétienne ?
18. La description des Enfers revient souvent dans la littérature antique. Citez des œuvres dans lesquelles se trouvent de telles descriptions.

* *À retenir*

« Pathétique » et « tragique » ne sont pas des synonymes. Est pathétique tout ce qui relève de la souffrance, physique ou morale (comme le désespoir d'Enkidou, les lamentations de Gilgamesh). Est tragique tout ce qui relève des grandes questions propres à la condition humaine (comme la conscience de la mort). Une même page, un même chapitre peuvent mêler ces deux registres.

Chapitre 15

L'Homme-Scorpion et le Bosquet des Dieux

Depuis des jours, Gilgamesh parcourait la steppe sans prendre le temps de se laver, se nourrissant de baies et de fruits sauvages, buvant l'eau des sources. Il marchait et il pleurait. Hirsute, vêtu d'une simple peau de lion, on aurait pu de loin le prendre pour Enkidou. Quand elles l'apercevaient, les hardes[1] de la steppe levaient d'ailleurs la tête : leur compagnon d'antan[2] serait-il de retour parmi elles ? Mais non, ce sauvage n'était pas Enkidou. Celui-là avait peur des lions et des buffles. Sa démarche n'avait rien de félin. Sa silhouette se voûtait. Et parfois il parlait, il criait au vent, aux herbes, aux arbres, au ciel :

– Et moi, dois-je aussi mourir ? Qui me répondra ?

Les chasseurs d'Ourouk qui le croisaient ne reconnaissaient pas leur souverain, le puissant, le riche Gilgamesh, vainqueur du géant Houmbaba et du Taureau céleste.

– Notre roi est devenu fou, se disaient-ils.

Fou, Gilgamesh ne l'était pas. Mais pris de panique et de désespoir, il l'était assurément. La crainte de mourir le faisait marcher. Gilgamesh avait décidé d'aller consulter son ancêtre Out-Naspishtim le Lointain, le seul humain survivant du Déluge et auquel les dieux avaient accordé une vie sans fin. C'était une entreprise insensée, un immense voyage, plein de périls, une traversée du cosmos qu'aucun être humain n'avait jamais effectuée. Mais Gilgamesh voulait connaître le sens de la vie, percer le mystère de la mort. Out-Napishtim le Lointain saurait les lui expliquer.

Gilgamesh marchait.

Après avoir traversé la steppe, il atteignit des montagnes, franchit des défilés[3]. Quand des loups, des lions ou des hyènes s'appro-

---

1. **Hardes :** groupes de bêtes sauvages.
2. **D'antan :** d'hier, de jadis.
3. **Défilés :** passages étroits entre deux montagnes.

chaient de trop près, Gilgamesh s'en remettait à la grande déesse-mère Arourou :

30 – De ce danger, préservez-moi ! implorait-il.

Miséricordieuse, la grande déesse étendait sur lui sa protection.

Une nuit, Gilgamesh vit en songe des animaux paisiblement rassemblés autour d'un point d'eau et qui jouissaient ensemble de la vie. Fut-ce parce que leur bonheur l'indigna ? Parce que 35 ces animaux lui rappelèrent la vie qu'Enkidou menait dans la steppe ? Gilgamesh dégaina son épée et en massacra le plus grand nombre.

Après des jours et des nuits, après des nuits et des jours, Gilgamesh parvint enfin près des Monts Jumeaux. On les appelait 40 ainsi parce que, situés l'un à l'est et l'autre à l'ouest, ils gardaient les portes par où le Soleil se levait le matin et se couchait le soir. Ils étaient si hauts qu'ils touchaient les fondations des cieux. Et ils s'enfonçaient si bas sous terre qu'ils touchaient les Enfers. Passer entre ces Monts Jumeaux était impossible. C'était franchir la limite 45 du monde habité.

Les Hommes-Scorpions veillaient d'ailleurs sur cette frontière. Leur tête et leur buste étaient ceux d'êtres humains. Mais leur crâne était surmonté d'un dard empli d'un venin mortel. Leurs jambes étaient des pinces. Leurs yeux étaient en outre si terrifiants 50 que croiser leur regard donnait la mort.

Aussi, quand Gilgamesh les aperçut, il se voila le visage pour ne pas les affronter. Et il n'en implora que plus fortement la grande déesse :

– Gardez-moi sain et sauf !

55 Un Homme-Scorpion s'apprêta à bondir, pinces largement ouvertes pour saisir et immobiliser sa proie, dard pointé comme un javelot. Depuis l'éternité qu'il montait la garde, c'était la première fois qu'il voyait un homme s'aventurer jusqu'ici. L'occasion était trop belle ! Elle ne se représenterait peut-être jamais. Il fallait 60 en profiter ! Il fallait tuer !

– Sus à[1] ce fou ! dit-il, joyeux.

---

1. **Sus à :** formule destinée à encourager un assaut contre un ennemi.

– Attends ! le retint la Femme-Scorpion à ses côtés. Regarde comme ce fou brille malgré lui ! Ce n'est pas un homme, mais un dieu. Ou, du moins, un être en grande partie d'origine divine.

65 – Dommage ! soupira l'Homme-Scorpion. Pour une fois que je pouvais faire mon métier…

Mais il n'était pas question de bafouer la moindre parcelle de divinité. L'Homme-Scorpion reprit une position moins agressive, pinces et dard repliés.

70 – Approche ! dit-il. Ne crains rien ! Qui es-tu ? Quel est le but de ton voyage ?

– Je m'appelle Gilgamesh. Je suis le roi d'Ourouk. Et je viens retrouver mon ancêtre Out-Napishtim le Lointain. Je veux l'interroger sur la vie et sur la mort.

75 – Tu es fou, Gilgamesh ! répliqua l'Homme-Scorpion. Jamais personne n'a pu aller au-delà des Monts Jumeaux. C'est l'ultime frontière. Au-delà, c'est l'Inconnu.

– Mais je dois m'entretenir avec mon ancêtre ! insista Gilgamesh.

– Alors, prends courage, reprit l'Homme-Scorpion. Tu vas en 80 avoir besoin. Que s'ouvre devant toi la porte de la montagne ! Et que ton chemin soit couronné de succès ! Cependant, pour être tout à fait sincère avec toi, j'en doute, j'en doute... Mais si tu veux mourir…

À ces mots, l'Homme-Scorpion laissa passer Gilgamesh.

85 Celui-ci suivit aussitôt la route du Soleil. Au bout d'une dizaine de kilomètres, il n'y eut presque plus de lumière. Gilgamesh s'avança à tâtons dans la pénombre. Au bout de vingt kilomètres, il ne put voir ni devant ni derrière lui. Au bout de trente kilomètres, l'obscurité devint encore plus compacte. Et plus encore au bout de 90 quarante kilomètres.

Enfin, au bout de cent dix kilomètres, Gilgamesh parvint à la clarté, à une clarté radieuse et bienfaisante.

Devant lui se dressait le Bosquet des Dieux ! Il y avait des cyprès, des cèdres, des palmiers, des acacias. Tous ces arbres por-95 taient des pierres précieuses. Leurs fruits étaient en cornaline, leurs feuilles en lapis-lazuli. Les frondaisons étaient en albâtre[1]. Ce bosquet descendait jusqu'à la mer. L'eau était turquoise.

1. **Albâtre :** calcaire translucide.

Partout, ce n'était que luxuriance, calme, volupté et jeux de couleurs. Le vert de la chrysolite, le rouge de l'hématite, les multiples nuances de l'agate[1].

Gilgamesh ne savait que penser devant tant de beautés. Il était, à l'évidence, parvenu jusqu'au séjour des dieux. Qui d'autre en effet pouvait habiter un tel paradis ?

Chapitre 16

La cabaretière, le nocher[2] et les Eaux-de-Mort

Sur la plage se dressait une taverne, tenue par une femme. Quand la cabaretière aperçut Gilgamesh, plus hirsute et plus sale que jamais, plus sauvage que la peau de bête qui l'habillait, elle prit peur.

– Cet homme-là, se dit-elle, a la mine d'un assassin !

Aussitôt elle ferma la porte de sa taverne et monta se réfugier sur le toit.

Le bruit alerta Gilgamesh, dont toute l'attention avait été jusque-là retenue par les merveilles du Bosquet des Dieux. Le spectacle d'une femme juchée sur le toit de sa maison l'étonna. Il fit un pas dans sa direction. Mais plus il avançait, plus la femme reculait, au point de risquer de tomber dans le vide. Alors Gilgamesh s'immobilisa, et la femme également.

– Suis-je si repoussant pour que tu me fuies ainsi ? lui cria-t-il. Ne crains rien ! Je suis Gilgamesh, le roi d'Ourouk. C'est moi qui ai tué le géant Houmbaba et le Taureau céleste.

Ces paroles ne rassurèrent pas la cabaretière. Cet homme-là était donc bien un assassin ! Lui-même le reconnaissait. Mais, parvenue à l'extrémité du toit, elle ne pouvait plus reculer. Il ne lui restait

1. **Chrysolite, hématite, agate :** pierres précieuses.
2. **Le nocher :** le marin qui pilote un navire ou une barque.

20 plus qu'à engager la conversation. Parler amadouerait peut-être cette brute qui se vantait de ses forfaits.

– Ce sont les remords de tes crimes qui t'ont creusé les joues et ravagé le visage ? demanda-t-elle d'une voix qui s'efforçait d'être le plus ferme possible.

25 – Non. Écoute-moi, femme. Si mes joues sont creuses et les traits de mon visage ravagés, c'est que je viens d'effectuer un long et pénible voyage. J'avais un ami. Il s'appelait Enkidou. Et il m'était cher. Plus que tout au monde. Avec lui, j'ai surmonté les plus grands obstacles. J'ai accompli les plus grands exploits. Maintenant 30 il est là où le Destin conduit tous les hommes. Durant sept jours et sept nuits, j'ai interdit qu'on l'enterre pour voir si mes cris ne le réveilleraient pas. Ne vais-je pas, moi aussi, me coucher pour ne plus jamais me relever ? C'est pour le savoir que j'ai bravé le froid, le vent, la peur.

35 Gilgamesh s'était assis devant la porte de la taverne. Comprenant qu'elle n'avait rien à redouter d'un désespéré, la cabaretière descendit de son toit.

– Tu as bien la tête d'un voyageur épuisé, lui dit-elle en lui tendant la main. Je m'appelle Sidouri et je tiens cette taverne. Viens.

40 Elle lui en ouvrit la porte, le fit entrer, lui servit à boire et à manger. Pendant que Gilgamesh se restaurait d'une bonne et chaude nourriture, Sidouri tenta de le ramener à la sagesse :

– Où cours-tu ainsi, Gilgamesh ? Ce que tu cherches, tu ne le trouveras pas. Quand les dieux ont créé l'humanité, ils l'ont vouée 45 à la mort. L'éternité, ils se la sont réservée, pour eux et pour eux seuls. Tant que tu vis, réjouis-toi d'être en vie. Fais la fête, danse, joue de la musique, aime ta femme et ton petit qui te tient par la main. C'est cela, l'occupation de l'humanité. Et quand viendra pour toi l'heure de quitter le banquet de la vie, pars dignement, en 50 remerciant, sans regret ni remords.

Ce discours, loin de le réconforter comme l'espérait Sidouri, n'en affligea que davantage Gilgamesh :

– Pourquoi me parles-tu comme cela, ma cabaretière ? C'est à cause d'Enkidou que mon cœur est triste. Toi qui habites apparem-55 ment près du domaine des dieux, tu connais le chemin qui mène à Out-Napishtim le Lointain. Indique-le-moi. S'il faut traverser la mer, je la traverserai.

Chapitre 16

Malgré la compassion qu'elle éprouvait pour lui, Sidouri ne put que le décourager. À quoi bon lui cacher la vérité ?

– Depuis les temps les plus reculés, personne n'est arrivé ici par la mer. Seul Shamash la traverse. Personne d'autre, pas même un autre dieu ! Et toi, tu voudrais…

– Je dois voir mon ancêtre, l'interrompit Gilgamesh.

– Quand bien même tu traverserais la mer, que feras-tu quand tu aborderas les Eaux-de-Mort ?

– Je l'ignore. Mais je te supplie de m'aider. Je suis prêt à tout.

Tant d'obstination ou d'inconscience accabla la cabaretière. Courir au-devant de la mort par peur de la mort ! Quelle absurdité ! Elle dévisagea longuement son hôte. Elle pensa que, rasé, lavé, vêtu de propre et de frais, il aurait bien fière allure. Et cet homme encore jeune, qui pouvait encore profiter de la vie, voulait se jeter dans les pires périls !

– Eh bien ! soupira-t-elle, si c'est ce que tu veux... Vois-tu là-bas cette forêt de conifères ? Our-Shanabi y coupe du bois. C'est le nocher d'Out-Napishtim le Lointain. Il possède les statues de pierre qui stabilisent un bateau et lui permettent de franchir sans encombre les Eaux-de-Mort. Va le trouver. S'il accepte de te guider, suis-le. Sinon retourne à Ourouk. En attendant, prends des forces, termine ton repas.

Entendant ces paroles, Gilgamesh ne fit qu'un bond. Déjà il brandissait sa hache d'une main et s'assurait de la présence de son poignard de l'autre. Sans même achever son repas, il se précipita dans la forêt.

– Our-Shanabi ! criait-il. Our-Shanabi !

Pour se frayer plus vite un chemin, il abattit les arbres, comme naguère Houmbaba dans la Forêt des Cèdres. Les uns après les autres, il les abattait. Sa poitrine haletait, ses mains tranchaient à droite, à gauche. Dans sa hâte, il confondit avec des arbres les statues de pierre qui assuraient la stabilité du bateau. Il les brisa en deux, en quatre, en mille morceaux.

– Our-Shanabi ! répétait-il. Où es-tu ?

– Je suis là, lui répondit soudain une voix ; je suis Our-Shanabi, le nocher d'Out-Napishtim le Lointain. Et toi, qui es-tu ?

– Je m'appelle Gilgamesh. Je viens d'Ourouk. J'ai parcouru un long chemin pour venir jusqu'à toi.

– Pour quelle raison ?

– Conduis-moi auprès d'Out-Napishtim le Lointain, ton maître, mon ancêtre. Je veux lui parler !

– C'est impossible ! lui répondit calmement le nocher.

100 Impossible ? Jamais personne n'avait contredit Gilgamesh à ce point, ni désobéi à un ordre du roi d'Ourouk ! La colère serra ses mâchoires et agrandit ses yeux. Sa main se levait. Devinant les sentiments de son interlocuteur, Our-Shanabi ajouta calmement :

– Inutile de me menacer, encore moins de me frapper. Sur 105 les Eaux-de-Mort, tous les hommes sont égaux. Il n'y a plus de pauvres ni de riches... Ni de rois... Assieds-toi donc et dis-moi pourquoi tu veux voir ton ancêtre.

Gilgamesh, cette fois, s'inclina. Il s'assit, jambes repliées et croisées, comme lorsque l'on veut parler confortablement. Et il raconta 110 ce qu'il avait déjà expliqué à la cabaretière :

– Vais-je me changer en argile et devenir poussière comme mon ami ? Out-Napishtim le Lointain me le dira.

Our-Shanabi hocha la tête :

– Je comprends, dit-il. Mais c'est impossible.

115 – Pourquoi ?

– Les Eaux-de-Mort sont si tumultueuses que tout bateau y chavire, sans aucun espoir d'en réchapper pour ses passagers et équipage. Seules les statues de pierre, en alourdissant le bateau, l'empêchent de chavirer. Et ces statues... tu viens de les briser. La 120 précipitation, comme la colère, n'est jamais bonne conseillère...

Gilgamesh regretta amèrement son geste et promit à Shamash de mieux se maîtriser si par miracle il parvenait à ses fins.

– N'y a-t-il vraiment aucun autre moyen ? demanda-t-il humblement.

125 – Peut-être, répondit Our-Shanabi après avoir longuement réfléchi. Prends ta hache, coupe-moi trois cents perches de soixante mètres chacune et écorce-les. Pendant ce temps-là, je vais préparer des cordages.... mais je ne te promets rien. La moindre fausse manœuvre, et c'est la mort assurée. La plus petite 130 inattention...

Gilgamesh fit ce qu'Our-Shanabi lui avait demandé. Il abattit cent vingt arbres pour en tailler autant de perches. Il les élagua, les écorça, les épointa à une extrémité, puis il les apporta et les rangea soigneusement dans le bateau.

Quand tout fut enfin prêt, les deux hommes embarquèrent. Les débuts de la navigation furent faciles et rapides. La mer était calme. Les courants étaient favorables. À coup sûr Shamash veillait sur eux. En trois jours, ils firent le trajet d'un mois et demi.

Ce fut alors que le temps se gâta :

– Voici les Eaux-de-Mort ! dit Our-Shanabi, debout à l'avant du bateau.

Le Soleil disparut soudain derrière de lourds nuages. Une brume grisâtre monta de la mer comme si elle fumait de rage. Un vent froid se mit à siffler. Des remous agitèrent la coque du bateau.

– Prends maintenant une perche, cria Our-Shanabi à Gilgamesh. Plonge-la dans la mer. Dès que tu en sentiras le fond, pousse sur la perche pour faire avancer le bateau. Mais ne la remonte surtout pas ! Que ta main touche l'eau, et tu es perdu ! Laisse la perche, prends-en une autre et ainsi de suite.

Gilgamesh saisit délicatement une première perche, en perça la surface de l'eau comme une aiguille une étoffe de soie, l'enfonça, l'enfonça. Trente mètres, c'était la bonne profondeur. Our-Shanabi ne s'était pas trompé.

Gilgamesh se concentrait sur sa navigation, scrutait les vagues, en évaluait la puissance et la cadence, comme un chasseur observe la charge d'un troupeau. Dix fois, cinquante fois, cent fois, il prit une perche.

Un remous plus fort que d'autres et que, par fatigue peut-être, il avait moins anticipé, fit tanguer le bateau, déséquilibra Gilgamesh, qui se rattrapa instinctivement en agrippant le bord.

– Ta main ! hurla Our-Shanabi.

Une vague lécha le rebord. Gilgamesh se recula juste à temps.

– Merci !

Our-Shanabi sourit sans cesser d'observer l'état de la mer.

À la cent vingtième perche, pas une de plus, pas une de moins, le bateau sortit des Eaux-de-Mort. Gilgamesh se demanda comment Our-Shanabi avait effectué un calcul aussi précis.

Devant eux s'étendait maintenant une plage déserte, dorée comme le disque du Soleil. Des palmiers généreux entouraient une seule et unique maison, belle comme un petit palais.

– La maison d'Out-Napishtim le Lointain ! s'écria Our-Shanabi.
Debout à la proue du navire, Gilgamesh gonflait sa poitrine de joie. Il ouvrait ses bras au vent, à la lumière. Il avait traversé les Eaux-de-Mort ! Il avait réussi ! Une nouvelle fois il avait accompli 175 ce qu'aucun être humain n'avait jamais fait ! Et il allait savoir ce qu'aucun être n'avait jamais su de son vivant !
– Out-Napishtim ! cria-t-il à son tour.

Chapitre 17

Out-Napishtim le Lointain

De sa fenêtre, Out-Napishtim le Lointain observait le bateau depuis que celui-ci était apparu sur la ligne d'horizon. Il l'avait vu, sans comprendre, tanguer dangereusement sur les Eaux-de-Mort. Our-Shanabi avait-il oublié ou perdu – l'insensé ! – les statues de 5 pierre ? Maintenant que le bateau s'approchait de la plage, Out-Napishtim comprenait de moins en moins. Quel était cet inconnu aux côtés de son nocher ? Pourquoi criait-il son nom ?
– Allons l'accueillir, se dit Out-Napishtim. Quel qu'il soit et même quoi qu'il ait fait, l'hospitalité est une chose sacrée.
10 Out-Napishtim sortit de sa maison, aida sur la plage à la manœuvre d'accostage du bateau. Dès que Gilgamesh fut à terre, Our-Shanabi fit les présentations.
– Tu as tout l'air d'un homme qui vient de faire un long et périlleux voyage, dit Out-Napishtim à Gilgamesh. Tu es bien 15 maigre, et tu trembles encore de tout ton corps des frayeurs éprouvées.
Gilgamesh hocha la tête en signe d'approbation. L'émotion de se trouver devant son ancêtre Out-Napishtim le Lointain l'empêchait d'articuler le moindre mot. Il dévisageait le survivant du Déluge, et 20 il n'en croyait pas ses yeux ! C'était un miracle, ou plutôt un mystère, ou un miracle mystérieux ! Il ne savait plus. Out-Napishtim le Lointain n'était ni jeune ni vieux ! On ne pouvait pas lui donner d'âge. Vingt ans, cent ans, mille ans ? Le nombre des années n'avait

pas de sens, parce qu'il n'avait sur lui aucune prise. C'était comme
25 s'il avait échappé au temps, à la fraîcheur de la jeunesse comme aux rides du vieillissement. Son corps était comme transfiguré. Ce qui frappait en revanche quand on le regardait, c'était sa bonté, et la bienveillance de son regard.

– Oui, répondit enfin Gilgamesh, je viens du bout du monde
30 pour te consulter. J'ai besoin de savoir…

– Viens d'abord te désaltérer d'une cervoise[1], l'interrompit Out-Napishtim.

Tous trois regagnèrent la maison. Elle était sobrement mais délicieusement meublée. Out-Napishtim présenta sa femme à
35 Gilgamesh, une femme de toute beauté qui, comme son mari, semblait hors des atteintes de l'âge. Tous quatre s'attablèrent autour d'un verre de cervoise parfumée et fraîche.

– Je t'écoute, dit simplement Out-Napishtim.

Une nouvelle fois Gilgamesh raconta son histoire, ses exploits,
40 son désespoir à la mort de son ami Enkidou, sa peur de mourir à son tour, sa quête de l'éternité :

– Tu es mon ancêtre, ô Out-Napishtim le Lointain, dis-moi si nous devons tous mourir. Pour combien de temps construisons-nous nos maisons ? Pour combien de temps aimons-nous ? Pour
45 combien de temps vivons-nous ? Le dormeur et le mort ont-ils le même visage ?

– Je crains, lui répondit doucement Out-Napishtim, que tu n'aies fait ce voyage pour rien. Personne ne peut voir le visage de la Mort. Personne ne peut entendre la voix de la Mort. Les dieux
50 disposent de la mort et de la vie, mais des jours de la mort ils ne disent rien. L'éternité est pour eux. Mais l'être humain, le beau jeune homme comme la belle jeune fille, il est fauché comme un roseau.

– Pourtant, lui répliqua Gilgamesh, tu as un corps comme moi,
55 tu as été et tu es encore un être humain comme moi, et tu es éternel. Pourquoi ne le serai-je pas aussi ? Je suis roi, comme tu le fus.

– Tu veux vraiment savoir pourquoi ?

– C'est pour cela que je suis venu. Il n'y a pas d'autre raison.

---

1. **Cervoise :** bière à base d'orge ou de toute autre céréale.

– Alors, bois autant que tu veux de la cervoise, parce que je vais 60 te raconter une longue, très longue histoire. Pour moi, ma femme et mon nocher, c'est sans importance parce que nous n'appartenons plus au temps. Mais toi, tu risques de trouver les heures sans fin. C'était aux temps de la première humanité…

Clefs d'analyse

Chapitres 15-17

Action et personnages

1. Pourquoi Gilgamesh entreprend-il un voyage plein de périls ? Quel en est le but (chapitre 15) ?
2. Quels sont les éléments qui font de ce voyage un voyage exceptionnel, extraordinaire (chapitre 15) ?
3. Quel est le métier de Sidouri ? Où habite-t-elle (chapitre 16) ?
4. Quels conseils donne-t-elle à Gilgamesh (chapitre 16) ?
5. À quoi servent les statues de pierre (chapitre 16) ?
6. Que représentent symboliquement les Eaux-de-Mort (chapitre 16) ?
7. Qui est Out-Napishtim ? Pourquoi est-il surnommé « le Lointain » (chapitre 17) ?

Langue

8. « Gilgamesh voulait connaître le sens de la vie, percer le mystère de la mort. Out-Napishtim le Lointain saurait les lui expliquer » (chapitre 15) : réécrivez cette phrase au style direct.
9. Identifiez, dans la phrase précédente, la forme verbale « saurait ». Justifiez sa présence.
10. « Malgré la compassion qu'elle éprouvait pour lui » (chapitre 16) : analysez ce segment de phrase.
11. « Quel qu'il soit et même quoi qu'il ait fait » (chapitre 17) : analysez ce segment de phrase.

Genre ou thèmes

12. Un quiproquo consiste à prendre quelque chose ou quelqu'un pour quelque chose ou quelqu'un d'autre : de quel quiproquo Sidouri est-elle victime (chapitre 16) ?
13. Sur quelle forme de comique repose la rencontre de Gilgamesh et de Sidouri (chapitre 16) ?
14. En quoi le Bosquet des Dieux est-il un lieu mythique, une forme d'Eldorado (chapitre 16) ?

Écriture

15. Gilgamesh affronte les Eaux-de-Mort. Décrivez à votre tour une tempête maritime, qu'elle se termine ou non par un naufrage.
16. Décrivez un lieu que vous pensez être un lieu idéal, paradisiaque.
17. Prenez votre envol et racontez un voyage cosmique.

Pour aller plus loin

18. Renseignez-vous sur Épicure, un philosophe grec de l'Antiquité, et sur la doctrine qui porte son nom, l'épicurisme.
19. Renseignez-vous sur ce qu'est une utopie. Quelle est l'origine de ce mot ? Quelles sont ses significations ?

✱ *À retenir*

L'ailleurs est souvent synonyme d'un monde idéal. Cet ailleurs peut être une île, un monde caché, une autre planète. Peu importe en fait sa localisation. Ce qui compte, c'est de transporter le lecteur dans un autre monde, un monde différent du sien, là où tout devient possible. Mais cet ailleurs, notamment dans les bandes dessinées et les films de science-fiction, peut être aussi plein de menaces. L'ailleurs est ainsi une composante puissante de l'imagination.

Chapitre 18

Le Déluge

« C'était aux temps de la première humanité.

« Je régnais sur Shourouppak. Tu connais la ville, du moins celle qui a été reconstruite. Située sur les bords de l'Euphrate, elle n'est pas très éloignée d'Ourouk. Ma cité était belle, active, prospère, pieuse. Les dieux parfois la fréquentaient. Pourquoi jurèrent-ils sa perte et celle de tous les humains ? Je l'ignore encore maintenant. Devenions-nous trop nombreux sur terre ? Faisions-nous trop de bruit ? Troublions-nous leur sommeil ? Toujours est-il que le grand Anou, le coléreux Enlil, le vaillant Ninourta, tous, même le compatissant Ea, jurèrent de déclencher un Déluge exterminateur. Leur décision devait rester secrète, comme la date du cataclysme.

Ea fut toutefois pris de remords. Il avait toujours montré trop de sympathie envers les humains pour se résigner à leur complète disparition. Mais il ne pouvait pas les avertir de leur fin prochaine sans trahir son serment. Il imagina donc un subterfuge[1]. Un jour que je me trouvais dans son temple, il s'adressa aux haies de roseaux, aux palissades, aux bois qui en constituaient les murs.

– Écoutez, murs de mon temple.

Ea avait promis de ne rien dire aux hommes, il n'avait pas promis de ne rien dire aux murs de son temple. Mais moi qui me trouvais à l'intérieur, je compris bien que c'était à moi qu'il s'adressait.

– Détruis ton palais, disait-il. Et avec les matériaux que tu récupéreras, construis un immense bateau capable de contenir un couple de chaque espèce vivante. Fais vite. Les dieux ont décidé d'anéantir toute vie sur terre.

– Rien de ce que tu ordonnes ne passera inaperçu, répliquai-je. Que dirai-je à mon peuple ? Quelle explication donnerai-je aux Anciens, à mon armée ?

– Tu leur diras que tu as offensé Enlil, que tu dois fuir sa colère. Que pour les épargner, toi, leur roi, tu t'en vas descendre vers

1. **Un subterfuge :** une ruse.

l'Abîme. En contrepartie, Enlil déversera sur eux profusion de poissons, averses de galettes de blé, une pluie d'abondantes moissons.

Ea avait vraiment pensé à tout, même aux dimensions du bateau : un cube de soixante mètres de côté, un pont de trente-six 35 ares[1], comportant sept niveaux et neuf chambres par niveau.

Je fis donc entreprendre sa construction. Rien que son calfatage[2] exigea cent quatre-vingts hectolitres[3] de goudron[4], quatre-vingt-dix d'huile. Charpentiers, artisans, ouvriers joignirent si bien leurs efforts qu'en cinq jours le travail fut achevé.

40 Le soir, je leur offris une grande fête comme celle du jour de l'An. Avec des quartiers de bœufs entiers, des moutons à foison, de la cervoise et du vin. Tout le monde en but comme de l'eau de rivière.

Le bateau était prêt.

45 Ce que j'avais d'or et d'argent, je l'y fis porter, ainsi que de la farine de blé, d'orge, de la viande séchée, toute nourriture qui pouvait se conserver. Je fis charger des spécimens de chaque plante et des échantillons de graine. Je fis monter ensuite un couple de chaque espèce animale. Enfin je fis embarquer mes parents, ma 50 famille.

Et nous attendîmes.

Des galettes de blé tombèrent un jour du ciel. C'était le signal ! Le signal fatidique[5] !

Au moment de fermer l'écoutille[6], tu n'imagines pas quels senti- 55 ments déchirèrent mon cœur, quelles pensées combattirent dans ma tête. Croyant que je me sacrifiais pour lui, mon peuple m'acclamait et me plaignait tout à la fois, alors que je me sauvais ! Tous se réjouissaient de cette pluie miraculeuse de galettes, alors que je savais qu'une pluie autrement plus redoutable allait les englou-

---

1. **Un are :** cent mètres carrés.
2. **Calfatage :** action de rendre étanche la coque d'un navire.
3. **Un hectolitre :** cent litres.
4. **Goudron :** goudron d'origine végétale consistant souvent en un mélange de résine et de paraffine.
5. **Fatidique :** qui est ou qui semble fixé par le destin ; par extension, ce qui est convenu.
6. **L'écoutille :** l'ouverture rectangulaire pratiquée dans le pont d'un navire pour accéder aux entreponts et aux cales.

60 tir. La profusion de poissons, c'est au-dessus de leurs têtes qu'ils allaient l'avoir ! J'étais triste pour eux, que je ne reverrais plus jamais, et heureux pour les miens, ma femme, mes enfants. J'étais inquiet aussi.

Mais il n'appartient à aucun homme de contester les décisions 65 des dieux.

De lourds nuages montèrent bientôt de l'horizon. Le tonnerre du dieu Adad[1] gronda sans fin. Les six cents dieux Announaki, avec à leur tête Shallat et Hanish, ouvrirent les vannes du ciel, des océans et des fleuves.

70 Six jours et sept nuits durant, l'ouragan diluvien[2] se déchaîna. Les vallées furent submergées, les montagnes noyées, les forêts englouties, les villes, les animaux, les hommes furent écrasés sous des milliers de tonnes d'eau. La Terre ne fut bientôt plus qu'un gigantesque lac où ne surnageaient que des débris et des morts.

75 À l'intérieur du bateau, ce n'était que tangage, obscurité, peurs et cris des animaux, que nous essayions en vain de calmer. Nous-mêmes n'étions pas très rassurés. Entre la surveillance et la nourriture du bétail, nous passions le peu de temps qui nous restait à prier. Pas même à manger.

80 – Si Ea, disais-je, a pris soin de nous avertir et de nous sauver jusqu'ici, ce n'est pas pour nous faire périr maintenant.

Au bout de six jours et de sept nuits, toute trace de vie avait disparu de la surface de la Terre.

Lorsqu'ils contemplèrent leur œuvre, les dieux eux-mêmes 85 furent horrifiés du spectacle qu'ils découvrirent. Redoutant que les eaux ne montent jusqu'au ciel, ils se pelotonnèrent comme des chiens très loin dans les confins de l'univers. À son habitude, la déesse Ishtar se lamenta : qui lui ferait la cour maintenant qu'il n'y avait plus d'humains ? La grande déesse reprocha aux autres dieux 90 leur précipitation et leur aveuglement :

– S'il fallait punir les hommes, disait-elle, fallait-il pour autant les punir tous ? À quoi servaient les épidémies, la peste, la famine, tous ces fléaux, sinon à châtier misérables et coupables !

---

1. **Adad :** dieu de l'Orage et de la Pluie.
2. **Diluvien :** qui se rapporte au Déluge.

Honteux, les dieux décidèrent de fermer les vannes du ciel 95 et des océans. Les vents tombèrent d'un coup. La mer se calma. Un grand silence succéda au fracas et à l'épouvante des jours de Déluge. Le bateau cessa de tanguer.

Avec une infinie précaution, j'ouvris l'écoutille. Un chaud rayon de soleil se posa sur mon visage. Je montai sur le pont. J'observai 100 les quatre côtés de la mer. Un sommet émergeait bien au-delà des cieux. Le sommet du mont Niçir[1] !

Le bateau y accosta. Un jour, deux jours, six jours, le mont Niçir retint le bateau. Le septième jour, je lâchai une colombe. Mais, ne voyant de perchoir où se poser ni de quoi se nourrir, elle revint au 105 bateau. Une hirondelle fit de même demi-tour. Un corbeau, lui, ne revint pas. C'était le signe qu'il avait trouvé de quoi se nourrir ! Le signe que les eaux baissaient !

Je sortis à mon tour et, sur le sommet du mont Niçir, j'exposai toutes sortes d'offrandes et je répandis des parfums pour remercier 110 les dieux.

Ceux-ci accoururent aussitôt, tout à la joie de recevoir ces offrandes et de découvrir que des humains avaient survécu au Déluge. Tout n'était donc pas perdu. Une nouvelle humanité pourrait renaître !

115 Seul Enlil le coléreux donna libre cours à sa fureur :

– Aucun homme ne devait survivre, avions-nous tous juré ! Qui nous a trahis ?

– Moi ! répondit calmement Ea. Mais je n'ai trahi personne : j'ai simplement parlé aux roseaux, aux palissades. Et je ne le regrette 120 pas. Contemple la Terre. As-tu le cœur si endurci pour regretter qu'il y ait quelques survivants ? De te sentir responsable du plus grand massacre qu'il n'y eût jamais ne te fait rien ? Parle. Es-tu un dieu ? Ou un monstre, pire que le plus monstrueux des hommes ?

Ea se tourna alors vers l'assemblée des dieux :

125 – À vous de décider maintenant de ce qu'il convient de faire ! dit-il. Ou vous laissez vivre Out-Napishtim et sa famille, et la Terre se repeuplera. Ou vous les plongez dans la mort. Et il n'y aura plus jamais d'êtres humains pour les siècles des siècles !

---

1. **Niçir :** cette montagne se trouve à environ 450 km de Shourouppak.

Sans rien dire, Enlil le Coléreux monta dans le bateau. Un grand silence s'établit parmi les dieux, et parmi nous aussi. Allait-il nous noyer comme il le voulait quelques instants auparavant ?

Il me prit par la main, fit monter ma femme et nous dit de nous agenouiller tous deux :

– De tes enfants naîtront de nouveaux hommes. Eux et leur descendance connaîtront le sort de toute vie : ils mourront et, avec eux, mourra le souvenir du Déluge. Toi, Out-Napishtim, et ta femme, je vous touche le front. Vous étiez mortels, vous devenez maintenant comme des dieux. Votre vie sera sans fin. Mais vous habiterez loin, aux confins de la Terre et du Ciel, afin que nul ne perce votre secret !

Voilà comment, Gilgamesh, mon épouse et moi sommes devenus éternels. Par la grâce exceptionnelle, unique, des dieux qui avaient voulu exterminer les hommes ! »

Chapitre 19

La plante de jeunesse

Out-Napishtim le Lointain avait achevé son long récit du Déluge. Il vit bien toutefois qu'il n'avait pas complètement répondu aux attentes de Gilgamesh. Aussi but-il une grosse rasade de cervoise avant de reprendre :

– Par quel miracle les dieux t'accorderaient-ils cette vie éternelle qu'ils ne m'ont donnée que par exception et pour apaiser leur conscience ?

– Si les dieux ont pu faire ce miracle, ils peuvent le renouveler, répondit Gilgamesh avec une implacable logique.

– Un miracle qui se répète n'est plus un miracle, répliqua non moins logiquement Out-Napishtim dans un sourire.

– Mais qu'est-ce que la vie éternelle ? s'impatienta Gilgamesh.

– Si tu veux le savoir vraiment, commence par ne pas dormir six jours et sept nuits !

Gilgamesh accepta avec joie. Rien ne lui était plus facile ! Il n'avait jamais été un gros dormeur. Lors de son expédition contre Houmbaba, il n'avait pas beaucoup fermé l'œil ! Et pas davantage pour venir jusqu'ici. Il s'installa confortablement sur son siège, un verre de cervoise à portée de main. Et…

Comme un brouillard, le sommeil tomba sur ses yeux.

– Regarde-le, dit Out-Napishtim le Lointain à sa femme. Il veut vivre, et le voilà qui plonge à la première occasion dans le sommeil.

– Réveille-le, dit sa femme.

– Surtout pas ! Si je le réveille, il dira qu'il fermait simplement les yeux pour réfléchir, ou qu'il somnolait juste un petit peu. Fais plutôt cuire un petit pain chaque jour qu'il dormira. De mon côté, je ferai une marque sur la cloison.

Gilgamesh dormit, dormit. Un matin il fallut bien le réveiller.

– Tu as bien fait de me secouer, dit-il à Out-Napishtim. Sinon, je crois que je me serais véritablement endormi.

– Regarde plutôt les petits pains à côté de toi. Combien en comptes-tu ?

– Sept !

– Tu as dormi sept jours et sept nuits. Ma femme en a fait cuire un par jour que tu dormais.

– Impossible ! Vous avez pu tout aussi bien les faire cuire d'un coup et les disposer ensemble à côté de moi.

– Examine-les.

Le premier petit pain était totalement rassis ; le deuxième, gâté ; le troisième, moisi ; le quatrième avait des taches grises ; le cinquième, une croûte blanchâtre ; le sixième restait bien cuit ; et le septième et dernier était frais et tout chaud.

– Compte maintenant les traits verticaux sur la cloison.

– Sept aussi, murmura Gilgamesh.

Alors Gilgamesh comprit qu'il n'échapperait pas plus à la mort qu'au sommeil. Le sommeil était l'image de la mort. Il en était comme l'avant-goût, que les dieux avaient inséré au cœur même de la vie. Puisque les hommes dormaient, ils mourraient. Tous, sans exception.

La démonstration était faite. Il n'y avait plus rien à dire, plus rien à contester. Il n'y avait plus qu'à accepter.

Out-Napishtim demanda à Our-Shanabi, son nocher, de reconduire Gilgamesh :

– Mais auparavant, lui ordonna-t-il, mène-le au lavoir. Qu'il se décrasse à grande eau pour être comme la neige. Frotte-le d'un bon onguent. Et donne-lui de très beaux habits. Gilgamesh est un roi, et c'est en roi qu'il doit retourner chez lui.

Ainsi fut fait.

La femme d'Out-Napishtim intercéda alors auprès de son mari en faveur de Gilgamesh :

– Ne peux-tu vraiment rien faire pour lui. Il a fait un long voyage pour venir jusqu'ici. Et le retour ne sera pas davantage de tout repos. Après tout, il est notre lointain, lointain, lointain descendant.

Ces paroles émurent Out-Napishtim. Gilgamesh mettait déjà le bateau à la mer quand il le rappela :

– Voici un secret connu des dieux seuls. Au fond de la mer, juste avant les Eaux-de-Mort, il existe une plante miraculeuse, une espèce d'épine, aux aiguilles très piquantes et coupantes comme la lame d'un poignard. C'est la Plante de Jeunesse ! Qui en mange rajeunit. Elle ne t'empêchera pas de mourir, car plus tu en mangeras, moins il en restera à manger. Mais tu vivras plus longtemps. Si toutefois tes mains ne seront pas trop ensanglantées pour l'arracher…

Gilgamesh bondit du bateau sur le rivage, avisa deux lourdes pierres, les embarqua et, conseillé par le nocher, navigua vers la région où devait pousser cette Plante de Jeunesse.

À l'endroit supposé, Gilgamesh plongea pour la repérer. Il plongea les poumons pleins d'air à craquer, remonta, proche de l'asphyxie. Quand sa tête émergea de l'eau comme une flèche, sa bouche happait l'air à gorgées.

Enfin, après plusieurs tentatives infructueuses, Gilgamesh repéra la Plante. Comme il avait vu faire les pêcheurs de perles, il attacha les deux lourdes pierres à ses pieds. Elles l'entraînèrent aussitôt à la verticale jusqu'au fond.

La Plante n'était pas facile à déraciner. Chaque tentative se soldait par des coupures de plus en plus nombreuses sur la paume, sur le dos des mains de Gilgamesh, sur tous ses doigts, ses poignets.

Ce fut toujours plus d'entailles, toujours plus de sang et toujours moins d'oxygène dans les poumons.

Sur le bateau, le corps à demi penché par-dessus bord, Our-Shanabi tentait de voir ce qui se passait. Mais la mer était trop
95 profonde et trop grisâtre pour qu'il aperçût quoi que ce soit. Our-Shanabi s'inquiétait.

– Je l'ai ! cria soudain Gilgamesh qui, délesté des deux pierres, remonta vivement à la surface.

Son bras tendait bien haut la Plante en signe de victoire.

100 – Je vais vivre longtemps, longtemps, Our-Shanabi ! »

Sur mer et sur terre, le voyage de retour fut long mais joyeux.

Gilgamesh avait si hâte de revenir à Ourouk qu'après deux cents kilomètres il prit à peine le temps de se nourrir. Il ne quittait pas
105 des yeux la Plante de Jeunesse. Il ne ressentait aucune fatigue tant il était occupé à imaginer ce qu'il en ferait.

Il ne la garderait certes pas pour lui seul. Il en ferait profiter son peuple. Chacun en aurait un morceau, minuscule certes mais suffisant pour bénéficier de ses bienfaits. Lui, Gilgamesh, serait ainsi le
110 roi éternellement jeune d'un royaume éternel !

Après 300 kilomètres il fallut toutefois s'arrêter pour la nuit. Près d'une source d'eau fraîche, Gilgamesh et Our-Shanabi se couchèrent avec la Plante entre eux, comme pour mieux la garder.

Au matin, Gilgamesh éprouva le besoin de se laver dans l'eau de
115 la source. Pendant qu'il se baignait, un serpent, se faufilant dans l'herbe, flaira l'odeur de la Plante, s'en approcha, ouvrit la gueule et l'emporta.

Quand Gilgamesh s'en aperçut, il était trop tard ! Le serpent disparaissait, ne laissant comme trace de son passage que de vieilles
120 écailles tombées de son corps.

Dix secondes d'inattention, peut-être quinze, mais pas davantage, avaient suffi…

La Plante de Jeunesse était perdue ; elle était définitivement perdue. Gilgamesh le savait. Il savait qu'il n'en retrouverait pas un
125 autre spécimen.

Alors sans fin, les larmes ruisselèrent sur ses joues.

Chapitre 20

Retour à Ourouk

Ourouk acclama son héros qui était de retour. Gilgamesh n'en conçut pourtant aucune orgueilleuse fierté. Il avait beau être roi, il savait désormais qu'il était un homme parmi les hommes. Certes, il était le seul à avoir connaissance de ce qui s'était passé au moment du Déluge. Quel autre homme avait rencontré Out-Napishtim ? Personne ! Et personne ne le rencontrerait dans l'avenir. Mais ce qu'il avait appris et ce que la perte, par son inattention, de la Plante de Jeunesse lui avait plus encore appris, c'était la fragilité de la vie, de toute vie. Il fallait donc la protéger autant que possible et profiter de l'existence pendant qu'il était temps.

– Contemple le domaine d'Ourouk, dit-il à Our-Shanabi qu'il avait fait monter sur les remparts de la ville. Admire l'étendue de la cité, les vergers à perte de vue, les hectares d'argilières et le temple du grand Anou. L'œuvre de ma vie est là. Dans la bonne gouvernance de mon royaume. Mon éternité sera la mémoire des bienfaits que conservera mon peuple, génération après génération.

Gilgamesh fit graver ses exploits et en fit déposer le récit dans le grand temple d'Ourouk.

Chaque jour, et jusqu'au jour de sa mort, il alla se recueillir devant la statue de son ami, de son frère Enkidou.

Et Gilgamesh, l'homme qui ne voulait pas mourir, laissa le souvenir du meilleur des rois, à l'égal des Sages qui, dit-on, avaient apporté la civilisation aux premiers hommes.

Clefs d'analyse

Chapitres 18-20

Action et personnages

1. En quoi consiste le Déluge ? Que doit-il provoquer (chapitre 18) ?
2. Qui en prévient Out-Napishtim et pourquoi (chapitre 18) ?
3. Comment Out-Napishtim et sa famille échappent-ils au Déluge (chapitre 18) ?
4. Quelle épreuve Out-Napishtim impose-t-il à Gilgamesh (chapitre 19) ?
5. De quelle façon Gilgamesh comprend-il qu'il ne sera jamais éternel (chapitre 19) ?
6. Qu'est-ce que la Plante de Jeunesse (chapitre 19) ?
7. À quelle immortalité Gilgamesh finit-il par croire (chapitre 20) ?

Langue

8. Comment comprenez-vous la phrase suivante : « La profusion de poissons, c'est au-dessus de leurs têtes qu'ils allaient l'avoir ! » (chapitre 19) ?
9. Quelles sont la nature et la fonction de « se faufilant » (chapitre 19) ?
10. Analysez la forme verbale « pour qu'il aperçût » et justifiez son emploi (chapitre 19).
11. Donnez la nature et la fonction de « en » dans la phrase suivante : « Gilgamesh n'en conçut pourtant aucune orgueilleuse fierté » (chapitre 20).

Genre ou thèmes

12. Cherchez dans un dictionnaire ce qu'est un malentendu. Repérez ensuite, dans le chapitre 18, les passages illustrant un malentendu. Sur quoi porte-t-il ? Qui en est à l'origine ? Quel effet produit-il ?
13. Quels sentiments sont prêtés aux divinités ? Comment appelle-t-on cette manière de dépeindre des dieux et des déesses (chapitre 18) ?

Écriture

14. Gilgamesh plonge au fond de la mer pour aller y arracher la plante miraculeuse. Décrivez à votre tour une « plongée sous-marine ».
15. Décrivez le désespoir de Gilgamesh après la perte de la Plante de Jeunesse.
16. Le Déluge prend de nos jours la forme tragique d'un raz-de-marée ou d'un tsunami. Imaginez et décrivez une cité engloutie par les eaux.

Pour aller plus loin

17. Citez des œuvres littéraires, des films ou des bandes dessinées qui font allusion à des plantes ou à des breuvages magiques.
18. Renseignez-vous sur le mythe de l'Atlantide, une cité riche et prospère engloutie sous les eaux.

✳ *À retenir*

Toute épopée est récit d'un exploit. Mais il ne s'agit pas de n'importe quel exploit. S'il procure de la gloire à son auteur, il doit aussi être bénéfique à la collectivité à laquelle le héros appartient. Ceux que réalise Gilgamesh profitent aux habitants d'Ourouk. Et la leçon qu'il tire de son voyage extraordinaire est source de réflexion pour tous les hommes.

Les personnages : qui est qui ?

Complétez les phrases suivantes à partir de la liste donnée. Attention ! Certains noms peuvent être utilisés plusieurs fois.

Gilgamesh – Enlil – Out-Napishtim – Ea – Euphrate – Sidouri – Isthar – Enkidou – Shamash – Lougalbanda – Taureau céleste – Ninsoun – Fille d'Amour – Houmbaba – femme.

1. .... est roi d'Ourouk.
2. Le roi de Shourouppak fut ....
3. Le fleuve .... traverse la Mésopotamie.
4. La déesse .... est la fille du dieu Anou.
5. Le dieu-soleil s'appelle ....
6. .... est le gardien de la Forêt des Cèdres.
7. .... est envoyé par la déesse Isthar.
8. Fille d'Amour éduque ....
9. Ninsoun est la mère de ....
10. .... est l'ami de Gilgamesh.
11. La cabaretière se nomme ....
12. .... est un dieu cruel.
13. .... est le père de Gilgamesh.
14. Le dieu .... prévient Out-Napishtim du Déluge.
15. Les survivants du Déluge sont .... et ....

L'action : qui fait quoi ?

1. Enkidou affronte Gilgamesh :
- ☐ pour devenir roi à sa place
- ☐ pour prouver qu'il est le plus fort
- ☐ pour s'entraîner à la lutte

2. Gilgamesh affronte le terrible géant Houmbaba :
- ☐ pour préserver la Forêt des Cèdres
- ☐ pour épater son ami Enkidou
- ☐ pour accomplir un exploit

3. La déesse Isthar envoie le Taureau céleste :
- ☐ pour libérer Ourouk
- ☐ pour aider Gilgamesh
- ☐ pour se venger de Gilgamesh

4. Les dieux décident la mort d'Enkidou :
- ☐ pour le punir des sacrilèges qu'il a commis
- ☐ pour le faire entrer dans la vie éternelle
- ☐ pour abréger les souffrances d'une maladie

5. Les dieux déchaînent le Déluge :
- ☐ pour s'amuser
- ☐ pour mettre fin à une sécheresse
- ☐ pour exterminer la race humaine

6. Out-Napishtim est :
- ☐ un survivant de la guerre
- ☐ un survivant de l'incendie de la steppe
- ☐ un survivant du Déluge

7. Gilgamesh trouve l'immortalité :
- ☐ grâce à la Plante de Jeunesse
- ☐ grâce à sa bonne gouvernance
- ☐ grâce aux dieux Anou et Enlil

1. Une épopée est :

☐ un roman d'aventures
☐ un poème guerrier
☐ une satire

2. Dans une épopée, les héros :

☐ se dévouent à une cause qui les dépasse
☐ profitent égoïstement de l'existence
☐ n'ont aucun souci de leur réputation

3. Dans une épopée, les dieux :

☐ sont indifférents aux conflits humains
☐ sont spectateurs de ces mêmes conflits
☐ sont des acteurs importants des conflits humains

4. Dans une épopée, le merveilleux est :

☐ omniprésent
☐ banni
☐ ridiculisé

5. Dans une épopée, le héros est :

☐ un personnage exceptionnel
☐ un personnage ordinaire
☐ un dieu

6. L'épopée de *Gilgamesh* contient :

☐ des chansons
☐ des énigmes
☐ une philosophie de l'existence

7. L'épopée de *Gilgamesh* est :

☐ satirique
☐ tragique
☐ comique

Qui parle à qui ?

Retrouvez le personnage qui a prononcé ces paroles et celle ou celui à qui elles s'adressent :

1. « Le soleil ou la peur t'auront troublé la vue. » :
....
2. « Cette hache représente un homme qui te défendra comme un ami. » :
....
3. « Celui qui est né dans la steppe a de la force. » :
....
4. « Que l'homme des steppes et l'homme de la ville marchent toujours ensemble ! » :
....
5. « On doit pouvoir tout dire à un ami, et un ami doit pouvoir tout écouter, sinon ce ne sont pas de vrais amis. » :
....
6. « La curiosité habite la jeunesse. » :
....
7. « Qui méprise la mort établit sa renommée. »
....
8. « Laisse-moi la vie sauve, et je deviendrai ton esclave. » :
....
9. « Tu as la gloire, moi je t'offre l'amour, la puissance et l'argent ! » :
....
10. « Aurais-tu pitié de ces misérables ? » :
....
11. « À quoi bon naître s'il faut mourir un jour ? » :
....
12. « Cet homme-là a la mine d'un assassin ! » :
....
13. « Qui nous a trahis ? » :
....

Jouez avec les mots

Associez chaque mot à son synonyme :

1. tyran	a. pillage
2. échoppe	b. manque de discernement
3. lamentation	c. simple
4. saccage	d. baume
5. audience	e. aïeul
6. rêve	f. grand voyage
7. infamie	g. incohérence
8. épique	h. dictateur
9. prospère	i. couper (des branches)
10. expédition	j. tourment nocturne
11. frugal	k. boutique
12. piédestal	l. fixé à l'avance
13. onguent	m. extraordinaire
14. serre (d'aigle)	n. attraper brusquement
15. cauchemar	o. plainte
16. absurdité	p. riche
17. ancêtre	q. exemplaire
18. élaguer	r. entrevue
19. nocher	s. mordant
20. fatidique	t. songe
21. aveuglement	u. socle
22. happer	v. pilote de navire
23. spécimen	w. griffe
24. acerbe	x. affaiblir
25. amollir	y. airain
26. bronze	z. action déshonorante

Voyagez par monts et par vaux

1. **Ourouk et Shourouppak sont :**
   ☐ des noms de villes-États
   ☐ des noms de fleuves
   ☐ des noms de montagnes
2. **La Forêt que garde Houmbaba s'appelle :**
   ☐ la Forêt des Pins
   ☐ la Forêt des Chênes
   ☐ la Forêt des Cèdres
3. **Les Monts Jumeaux se trouvent :**
   ☐ en Mésopotamie (en Irak actuel)
   ☐ aux confins de l'univers
   ☐ aux alentours d'Ourouk
4. **Niçir est le nom :**
   ☐ de la montagne où accoste Out-Napishtim
   ☐ de la taverne de Sidouri
   ☐ de la maison d'Out-Napishtim
5. **Out-Napishtim et sa femme habitent :**
   ☐ près de Nippour
   ☐ dans un ailleurs inaccessible aux humains
   ☐ sur les Monts Jumeaux
6. **Le fleuve que remontent Gilgamesh et Enkidou est :**
   ☐ le Tigre
   ☐ le Jourdain
   ☐ L'Euphrate
7. **Sidouri tient une taverne :**
   ☐ à Shourouppak
   ☐ près du Bosquet des Dieux
   ☐ à Babylone

Thèmes et prolongements

✣ Les caractéristiques de l'épopée

Gilgamesh appartient au genre de littéraire de l'épopée. L'œuvre en présente en effet les caractéristiques essentielles. Elle célèbre les exploits d'un héros. Elle crée un univers merveilleux. Elle définit un idéal. Le héros peut dès lors devenir un mythe traversant siècles et millénaires.

Un héros et des exploits

Toute épopée relate les exploits d'un héros. Gilgamesh est par excellence ce héros. Tout le distingue du commun des mortels. Pour deux tiers d'origine divine, sa naissance est exceptionnelle. Son statut social et politique est unique : il est roi et, en tant que roi, il peut ce qu'il veut. Ses actes de bravoure et de courage sont nombreux. Vainqueur du géant Houmbaba et du redoutable Taureau céleste, il fait face aux Hommes-Scorpions. Gilgamesh accomplit enfin un voyage dans le temps et dans l'espace qu'aucun être au monde n'a réalisé et ne réalisera jamais. Traversant les Eaux-de-Mort, il parvient aux limites du Ciel et de la Terre, et il s'entretient avec un survivant du Déluge. Gilgamesh est celui qui est, qui fait et qui sait. C'est une des définitions du héros.

Un univers du merveilleux

L'épopée s'épanouit volontiers dans le merveilleux, où tout devient possible. Avec *Gilgamesh*, nous voici ramenés aux origines mystérieuses et légendaires de l'humanité. Les dieux parlent aux hommes et les hommes leur répondent. Animaux et humains coexistent sur un pied d'égalité. Ninsoun, la mère de Gilgamesh, est une bufflonne. Longtemps Enkidou vit avec et comme les animaux de la steppe. Ce merveilleux peut toutefois être inquiétant. Le Taureau céleste que la déesse Isthar lâche dans les rues d'Ourouk est un monstre de fureur et de puissance. Des centaines et des centaines de guerriers meurent sous ses sabots et ses coups de corne. Sa mise à mort prend des dimensions prodigieuses. L'agrandissement, l'exagération est ainsi source d'admiration et de terreur.

Un idéal et des bienfaits

L'exploit est une condition nécessaire mais insuffisante de l'héroïsme épique. Au début de l'œuvre, Gilgamesh n'est qu'un tyran odieux. Dans un premier temps, son amitié pour Enkidou le rend plus humain. Mais la gloire qu'il recherche est encore le fruit de la vanité et de l'amour-propre. Gilgamesh veut être le plus grand, le plus fort, le plus célèbre. Il réagit par rapport à lui-même. La mort d'Enkidou provoque chez lui une évolution radicale : elle le fait s'interroger sur la condition humaine et sur le sens de l'existence. La double leçon de vie de Sidouri la cabaretière et d'Out-Napishtim lui fait réaliser la valeur et la saveur de la vie, même bornée par la mort. La gloire n'est plus dans ce que l'on fait pour soi, mais pour les autres. L'éternité ne réside pas dans une vie sans fin, mais dans le souvenir laissé dans la mémoire des hommes. C'est vraiment à ce moment-là que Gilgamesh devient pleinement un héros. Il cesse de ne penser qu'à lui pour être le modèle même du bon souverain.

L'apothéose de Gilgamesh

Gilgamesh ne sera jamais admis au rang des dieux. Même s'il connaît une longévité exceptionnelle grâce à la Plante de Jeunesse – qu'il perd par ailleurs –, il meurt comme tout un chacun. Mais l'œuvre procède à sa complète glorification. Le Prologue fait de lui le héros absolu : « Je veux chanter celui qui a tout vu, qui a tout connu, qui possède la sagesse universelle. » Et la dernière phrase du texte le range au nombre des Sages censés avoir apporté la civilisation aux hommes. C'est la consécration de Gilgamesh. L'épopée l'érige en mythe. Gilgamesh devient l'Homme avec ses souffrances, sa lucidité et son sens moral. Lui qui ne voulait pas mourir réalise son rêve de cette façon. Quatre millénaires plus tard, on parle encore de lui et on se passionne pour ses aventures !

✤ Enkidou ou la naissance de l'homme

Rival puis ami de Gilgamesh, Enkidou est un personnage important. Plus que Gilgamesh, en grande partie d'origine divine, il incarne en effet l'humain. Il n'est d'abord qu'un animal. Progressivement, il s'humanise. C'est en ce sens que l'on peut à son propos parler de la naissance de l'homme.

Un animal

À l'origine, Enkidou n'a pas grand-chose d'un être humain. Les dieux le font naître dans un seul but : détourner sur lui l'attention de Gilgamesh qui aura ainsi moins de temps pour tyranniser son peuple. Ce que peut devenir personnellement Enkidou ne les intéresse pas. Enkidou est une sorte de machine programmée. Il n'a pas de parents et pas de pays. Sa jeunesse se déroule auprès des animaux dont il adopte les comportements et les modes de vie. Il se déplace et se nourrit comme eux. Son apparence physique est si proche de celle d'un animal que le jeune chasseur qui l'observe pense d'abord avoir affaire à un ours. S'il possède enfin une certaine forme d'intelligence à déjouer les pièges des chasseurs, Enkidou ne pratique pas le langage articulé. Il n'émet que des sons et des cris. Exactement comme un animal.

L'éveil à la conscience

C'est une femme, Fille d'Amour, qui l'humanise, l'éduque, le fait naître à la conscience de soi et d'autrui. Son évolution est certes rapide. Le merveilleux propre à l'épopée autorise de telles accélérations. Le changement n'en est pas moins réel et radical. Fille d'Amour élève Enkidou. Elle lui apprend à se nourrir, à se vêtir, à parler. Elle l'éveille aux sentiments. Avec la passion, Enkidou découvre les mots. Fille d'Amour est une courtisane bienveillante, raisonnable, qui joue un rôle bénéfique. Elle est à l'origine de la seconde naissance d'Enkidou, de sa naissance à l'humain. Un épisode significatif à cet égard se situe au chapitre 5 lors de la journée chez les bergers. Pour la première fois en effet Enkidou défend les intérêts des bergers, donc des humains, contre les animaux, ses anciens compagnons. Lors de cette journée, Enkidou ne découvre pas seulement le pain et la bière, mais aussi la générosité.

Le besoin de se dépasser

Le combat qu'il livre contre Gilgamesh (chapitre 6) est une autre étape importante. Aucun des deux lutteurs ne parvient à vraiment l'emporter sur l'autre. Enkidou s'aperçoit pour la première fois de son existence (comme d'ailleurs Gilgamesh) que la force physique, brutale, possède ses limites. C'est tourner le dos à la loi de la jungle, toujours régie par celle du plus fort. Compagnon de Fille d'Amour, Enkidou devient l'ami et presque le frère de Gilgamesh. Le voici doté d'une existence affective et sociale. La satisfaction de ses plaisirs et de ses besoins ne suffisent cependant pas à le combler. Enkidou s'ennuie bien vite parce qu'il aspire à autre chose. Quelle chose ? Il ne le sait pas très bien lui-même. Mais comme le diagnostique fort bien Fille d'Amour, il ressent la nécessité d'agir, de se dépasser. Il lui faut réaliser un projet. Ce sera l'expédition que lui propose Gilgamesh contre Houmbaba.

Un homme courageux et digne

Ce projet l'effraie dans un premier temps. Enkidou le juge insensé. Mais l'amitié, qu'il érige en devoir et en honneur, finit par l'emporter. Il ne sera pas dit qu'il aura abandonné son ami dans le danger. Son courage ne le rend pas pour autant téméraire. Enkidou ne cache pas sa peur, mais il apprend à la dominer. C'est enfin face à la mort qu'Enkidou devient pleinement homme. Avant Gilgamesh, Il s'interroge sur ce qu'elle peut être. L'épouvante même le saisit au point de regretter de n'être pas resté un animal sans conscience. Enkidou n'en meurt pas moins avec dignité, comme le suggèrent les ultimes paroles qu'il adresse à Gilgamesh : « Ne m'oublie pas, tant que tu penseras à moi, je ne serai pas complètement mort » (chapitre 13). Cet adieu établit une solidarité et un devoir de mémoire entre les générations, entre les vivants et les morts. À sa façon, Enkidou est bien plus qu'un héros. Il est un homme qui assume sa condition.

Héros et héroïsme

Les notions de héros et d'héroïsme ont évolué au cours des siècles. Jadis presque surnaturel, le héros a perdu son origine sacrée. L'exploit est souvent devenu dévouement et service rendu à autrui. On n'est plus héros pour soi. Il n'en demeure pas moins que les héros font toujours rêver !

Des êtres divins ou divinisés

Dans l'Antiquité, la plupart des héros possèdent une origine divine. Ils sont en effet nés des amours d'un dieu et d'une mortelle (ou, inversement, d'une déesse ou d'un mortel). Ce ne sont donc pas pleinement des dieux parce qu'ils conservent en eux une part d'humanité, mais ils sont davantage que des humains. C'est le cas de Gilgamesh, d'essence divine pour les « deux tiers » de son être. Mais le phénomène inverse s'observe également fréquemment. En raison des exploits qu'ils ont accomplis durant leur vie, des hommes sont placés au rang des dieux après leur mort : c'est ce qu'on appelle une apothéose. Ils accèdent alors à l'immortalité et peuvent faire l'objet d'un culte religieux. Dans les deux cas, le héros ne connaît pas le sort réservé au commun des mortels. Par sa naissance et par ses actes, il s'élève au-dessus de l'humanité ordinaire.

Des êtres exceptionnels

On ne naît pas toutefois héros, on le devient. Il faut accomplir des hauts faits. C'est d'abord ce dont se vante Gilgamesh. Il est celui qui a terrassé Houmbaba, qui a vaincu le Taureau céleste, qui a effectué un voyage à travers le temps et l'espace, qui a conversé avec le survivant du Déluge. Aussi le héros est-il, à son image, unique. Il n'imite personne, et il ne sera jamais imité par quiconque. La « chanson de geste » du Moyen Âge français est l'héritière de cette conception épique du héros. Le mot « geste » provient en effet du latin *gesta*, mot qui désignait les exploits. Mais le héros peut aussi l'être pour ses qualités morales ou pour son intelligence. Dès le

Prologue, Gilgamesh est présenté comme celui qui a « découvert le secret de ce qui était caché », comme un sage qui connaît le sens de la vie. C'est un aventurier, mais il est aussi un aventurier de l'esprit. Il sait « le mystère de toutes choses ».

Les héros de notre temps

Depuis l'Antiquité, la notion de héros s'est à la fois élargie et approfondie. Chaque pays possède ses hommes ou ses femmes qui ont exercé une influence déterminante sur le cours de l'Histoire. Ils n'ont rien de divin, mais, parce qu'ils suscitent l'admiration, ils sont considérés comme des héros. De grands savants et médecins rendent par leurs découvertes d'éminents services à la collectivité. Le quotidien possède aussi ses héros, comme les pompiers, les sauveteurs en mer ou en montagne qui se dévouent et, parfois, se sacrifient pour les autres. Contrairement aux héros de l'Antiquité, ils sont humbles et, souvent, anonymes. Le héros peut même cesser d'être une individualité et se constituer en groupe, comme dans le cas des équipes scientifiques qui s'efforcent de vaincre le sida ou le cancer. Aucun membre de ces équipes ne se dit, ne se pense héroïque. Tous mènent pourtant un grand combat contre la maladie.

Des supports d'émotions et de rêves

Le public élève au rang de héros celles et ceux qui font naître une émotion collective, qui soulèvent un fort enthousiasme ou qui font rêver. C'est ainsi que les performances de grands sportifs ou la conquête, par une équipe, d'un titre olympique ou mondial, passionnent les foules. Quand ils reviennent chez eux, ces sportifs sont d'ailleurs reçus et acclamés comme des héros. Le cinéma, les bandes dessinées ou la littérature offrent également matière à rêver autour de certains personnages. Enfin, si tout le monde ne peut pas devenir un héros, chacun a la possibilité de se rêver et, donc, de s'imaginer en personnage important, en héros précisément ! Les jeux de rôle permettent, par exemple, de se glisser dans la vie et les habits d'un personnage célèbre. Le héros est toujours à part, mais chacun a besoin de ces héros à part.

✣ Une leçon de vie

Par le biais des aventures d'Enkidou et de Gilgamesh, l'épopée aborde des questions importantes que tout homme se pose un jour ou un autre. Qu'est-ce qu'un être humain ? Qu'est-ce que vivre ? En dépit des apparences, c'est une leçon d'optimisme et de vie qui se dégage du texte.

Qu'est-ce qu'un être humain ?

Au commencement, pour des raisons différentes, Enkidou et Gilgamesh ignorent ce que signifie « être un humain ». Enkidou a des excuses de ne pas le savoir. Il est né sans pays ni famille, il grandit seul parmi les animaux. Même s'il a une apparence humaine, il vit comme un animal. Il ne parle d'ailleurs pas. Gilgamesh n'a, lui, aucune excuse. Il vit dans le monde des hommes, mais il ne connaît que la loi de la tyrannie. Comme Enkidou, il n'a pas d'amis et pas de famille. Tous deux vont progressivement découvrir ce qu'est un être humain. Fille d'Amour est certes une courtisane, elle devient surtout l'initiatrice et l'éducatrice d'Enkidou. Elle lui fait découvrir des émotions, elle l'éveille aux sentiments, elle lui révèle les joies et les peines de la passion, elle le civilise. En se prenant d'amitié pour Enkidou, Gilgamesh découvre quant à lui l'importance de l'autre, de cet autre qui n'est plus uniquement un objet de mépris ou de tyrannie.

Qu'est-ce que la condition humaine ?

À l'annonce de sa fin prochaine, Enkidou maudit Fille d'Amour. Une telle réaction de sa part peut a priori surprendre, elle n'en est pas moins compréhensible. De Fille d'Amour, Enkidou n'a certes reçu que des bienfaits. Mais en se découvrant homme, Enkidou se découvre mortel. Il sait désormais ce qu'est la condition humaine. Les animaux de la steppe parmi lesquels il a vécu meurent également. Ils n'en ont pas toutefois conscience, ils ne le savent pas à l'avance. Tant qu'il vivait parmi eux, Enkidou ne le savait pas davantage qu'eux. Lorsqu'il décède, Gigalmesh se heurte à la même réalité : « Et moi vais-je aussi mourir ? » C'est pour trouver une réponse à cette question qu'il entreprend son extraordinaire voyage. Si l'homme ne s'épanouit qu'à travers ses liens et ses rapports avec les autres, sa condition en fait un être éphémère.

Qu'est-ce que vivre ?

Pourquoi dès lors naître si c'est pour disparaître à jamais ? Out-Napishtim et Sidouri apportent une double réponse à cette question. Selon le survivant du Déluge, l'éternité n'appartient qu'aux dieux. Lui-même n'est qu'une exception qui confirme la règle. Les hommes sont voués au néant. Il n'y a pas d'autre vie que la vie terrestre. La cabaretière Sidouri en délivre le mode d'emploi. De même que les minutes sont d'autant plus précieuses qu'elles sont comptées, de même la vie est d'autant plus importante qu'elle est brève. Il convient donc de profiter de chaque instant qui passe, de vivre heureux autant que possible, d'aimer ses amis, sa famille, ses enfants, de répandre le bien autour de soi selon ses moyens et sa position sociale. Il ne s'agit pas de se cacher la réalité de la mort, mais de la regarder lucidement en face pour tirer le meilleur parti de la chance qui consiste à vivre. Loin d'être désespérante, cette leçon est en définitive optimiste et généreuse.

Une leçon souvent et diversement reprise

Voilà plus de quatre mille ans, l'auteur de l'épopée de Gilgamesh a réfléchi sur le sens de la vie et de la destinée humaine. Ses réflexions ont suscité ou rencontré de nombreux échos, de l'Antiquité jusqu'à nos jours. Au IIIe siècle avant notre ère, par exemple, un philosophe grec, du nom d'Épicure, a développé une conception de l'existence (appelée l'épicurisme) qui rejoint sur certains points les propos de Sidouri la cabaretière, comme de savoir savourer les plaisirs simples et naturels de l'existence. Sur ces questions philosophiques de première importance, il appartient certes à chacun de se forger ses propres convictions. Mais tel est l'intérêt d'un texte fondateur, comme celui de l'épopée de Gilgamesh, de nous inciter à la réflexion.

Textes et images

✣ Déluges et cités englouties

Le récit du Déluge revient dans plusieurs textes fondateurs de l'Antiquité, ainsi que dans des épopées plus modernes. En voici quelques exemples. Le thème de la cité engloutie – de l'Atlantide, une civilisation très avancée et noyée sous les flots – en est une variante, que les œuvres ou les films de science-fiction ont souvent abordée.

Documents :

❶ Extrait de la Bible, Genèse, 6, 12-21 ; 7, 4-6, traduction œcuménique de la Bible (TOB), Les Éditions du Cerf, 1998.

❷ Extrait des *Métamorphoses* d'Ovide (vers l'an 1 apr. J.-C.), livre 1, vers 285-312, traduction de Frédéric Le Blay, Larousse.

❸ Extrait de *La Légende des siècles* de Victor Hugo (1859), V. « La Ville disparue », vers 58-90.

❹ « Le Déluge ». Gravure sur bois de la fin du XVe siècle.

❺ « L'Arche de Noé ». Miniature extraite du *Psautier*[1] de saint Louis (1253-1270).

❻ « L'Atlantide ». Dessin extrait d'une bande dessinée américaine, *20 000 Leagues under the sea*, inspirée de *Vingt Mille Lieues sous les mers*, de Jules Verne, XXe.

Pour approfondir

❶ *Caïn a tué son frère Abel*[2]*. C'est le premier crime de l'humanité et la source de toutes les violences. Devant leur multiplication, Dieu décide d'anéantir l'humanité. Seuls Noé, le juste, et sa famille seront épargnés.*

[12] Dieu regarda la terre et la vit corrompue[3], car toute chair avait perverti sa conduite sur la terre. [13] Dieu dit à Noé :

---

1. **Psautier :** recueil de psaumes, c'est-à-dire de prières poétiques de la Bible.
2. **Caïn et Abel :** deux des fils d'Adam et Ève.
3. **Corrompue :** souillée, avilie.

« [...] Fais-toi une arche de bois résineux. Tu feras l'arche avec des cases. Tu l'enduiras de goudron[1] à l'intérieur et à l'extérieur. [15] Cette arche, tu la feras longue de 300 coudées, large de 50 et haute de 30. [16] Tu feras à l'arche un toit à pignon[2] que tu fixeras à une coudée[3] au-dessus d'elle. Tu mettras l'entrée de l'arche sur le côté, puis tu lui feras un étage inférieur, un second et un troisième. [17] Moi, je vais faire venir le Déluge – c'est-à-dire les eaux – sur la terre, pour détruire sous les cieux toute créature animée de vie ; tout ce qui est sur terre expirera. [18] J'établirai mon alliance[4] avec toi. Entre dans l'arche, toi, et avec toi, tes fils, ta femme, et les femmes de tes fils. [19] De tout être vivant, de toute chair, tu introduiras un couple dans l'arche pour les faire survivre avec toi ; qu'il y ait un mâle et une femelle ! [20] De chaque espèce d'oiseaux, de chaque espèce de bestiaux, de chaque espèce de petites bêtes du sol, un couple de chaque espèce viendra à toi pour survivre. [21] Et toi, prends de tout ce qui se mange et fais-en pour toi une réserve ; ce sera ta nourriture et la leur. »

[...]

[4] « Car dans sept jours je vais faire pleuvoir sur la terre pendant quarante jours et quarante nuits, j'effacerai de la surface du sol tous les êtres que j'ai faits. »

[5] Noé se conforma à tout ce que le Seigneur lui avait prescrit.

[6] Noé était âgé de six cents ans quand eut lieu le Déluge – c'est-à-dire les eaux – sur la terre.

❷ *Comme le Dieu de la Bible, Jupiter décide de châtier les hommes, coupables à ses yeux des pires crimes, en les noyant sous un déluge.*

Les Fleuves, sortis de leur lit, se ruent à travers les plaines qui leur sont ouvertes ; avec les récoltes, ils emportent les arbres, les troupeaux, les hommes, les maisons, les sanctuaires[5] et leurs objets sacrés. [...] Déjà on ne pouvait plus distinguer la mer de la terre ;

---

1. **Goudron :** matière provenant du bois de résine et possédant des propriétés imperméabilisantes.
2. **Toit à pignon :** toit de forme triangulaire.
3. **Coudée :** mesure de longueur valant un demi-mètre environ.
4. **Alliance :** pacte conclu entre Dieu et l'humanité par l'intermédiaire de Noé.
5. **Les sanctuaires :** les temples.

tout n'était qu'un océan, et à cet océan manquaient les côtes. L'un[1] s'est installé sur une colline ; un autre est assis dans une barque recourbée et rame là où il labourait auparavant. Celui-là navigue au-dessus de ses moissons et du toit de sa maison engloutie, celui-ci attrape un poisson au sommet d'un orme[2]. L'ancre se fixe, au gré du hasard, dans une verte prairie ou encore les coques incurvées[3] viennent frotter contre les vignes. Et là où naguère de maigres chèvres broutaient l'herbe, des phoques informes[4] posent leurs corps. [...] Les dauphins occupent les forêts ; ils s'élancent contre les hautes branches et ébranlent les chênes en les heurtant. [...] Cet immense déchaînement de la mer avait recouvert les hauteurs et les eaux jusqu'alors inconnues battaient les sommets des montagnes. Presque tous les êtres vivants sont emportés par les eaux ; ceux qu'elles ont épargnés sont vaincus, faute de nourriture, par un long jeûne.

❸ *Victor Hugo imagine l'engloutissement d'une ville aux mœurs trop libres. Dans cette « ville gaie et barbare », on oublie les lois de la justice, on se détourne des divinités. Celles-ci laissent faire jusqu'au jour où elles décident de châtier cette cité impie.*

« Un jour l'océan se mit à remuer ;
Doucement, sans courroux, du côté de la ville
Il rongea les rochers et les dunes, tranquille,
Sans tumulte, sans chocs, sans efforts haletants,
Comme un grave ouvrier qui sait qu'il a le temps ;
Et lentement, ainsi qu'un mineur solitaire,
L'eau jamais immobile avançait sous la terre ;
C'est en vain que sur l'herbe un guetteur assidu
Eût collé son oreille, il n'eût rien entendu[5].
L'eau creusait sans rumeur comme sans violence,
Et la ville faisait son bruit sur ce silence.

---

1. **L'un :** un être humain ; quelqu'un.
2. **L'orme :** un arbre généralement de grande hauteur, pouvant atteindre les trente mètres.
3. **Les coques incurvées :** les fonds courbés des coques de bateaux.
4. **Informes :** flasques.
5. **Eût collé, eût entendu :** aurait collé, aurait entendu (verbes au conditionnel passé seconde forme).

Si bien qu'un soir, à l'heure où tout semble frémir [...]
Les nuages qu'un vent l'un à l'autre a rejoint
Et pousse, seuls oiseaux qui ne dormissent point,
La lune, le front blanc des monts, les pâles astres,
Virent soudain maisons, dômes, arceaux[1], pilastres[2],
Toute la ville, ainsi qu'un rêve, en un instant,
Peuple, armée, et le roi qui buvait en chantant
Et qui n'eut pas le temps de se lever de table,
Crouler dans on ne sait quelle ombre épouvantable ;
Et pendant qu'à la fois, de la base au sommet,
Ce chaos de palais et de tours s'abîmait,
On entendit monter un murmure farouche,
Et l'on vit brusquement s'ouvrir comme une bouche
Un trou d'où jaillissait un jet d'écume amer,
Gouffre où la ville entrait et d'où sortait la mer.
Et tout s'évanouit ; rien ne resta que l'onde.
Maintenant on ne voit au loin que l'eau profonde
Par les vents remuée et seule sous les cieux.
Tel est l'ébranlement des flots mystérieux. »

1. **Arceaux :** parties cintrées d'une arcade, d'une voûte.
2. **Pilastres :** colonnes plates intégrées dans un mur.

4

Tous les humains qui descedirent de adam et de eue nosdictz premiers parens depuis leur preuariation ⁊ eiection de paradis terrestre/ tumberent et descendirent en enfer. Les bons allerēt ou lymbe superiore appelle le limbe des peres. Les autres en purgatoire. Et les ames des enfās morsnez de ceulx qui nauoyent aucune foy du mediateur ⁊ redempteur iesu christ descendirēt ou lymbe des dis enfans morsnez. Et les parfaictement mauuais descendirent en lenfer des dyables sans espoir de redemption. Ceulx qui estoiēt es parties superiores du lymbe des peres ⁊ de purgatoi-

BB ii

5

Textes et images

6

Pour approfondir

✣ Étude des textes

Savoir lire

1. Comment, dans le texte 1, Dieu s'y prend-il pour épargner Noé et sa famille ?
2. Pourquoi, dans le texte 2, les côtes manquent-elles à l'océan ?
3. Qu'est-ce qui donne un aspect presque fantastique à la disparition de la ville dans le texte 3 ?

Savoir faire

1. Recherchez dans la Bible ou dans un dictionnaire où l'arche de Noé échoue et ce que deviennent ses passagers.
2. Renseignez-vous sur le mythe de l'Atlantide.
3. Recherchez dans des œuvres, des films ou des bandes dessinées des exemples de cités englouties.

✣ Étude des images

Savoir analyser

1. Comment est suggérée l'ampleur de la catastrophe (image 1) ?
2. Qu'est-ce qui suggère la fin prochaine du Déluge (image 2) ?
3. À quelle ville fait songer la représentation de l'Atlantide (image 3) ?

Savoir faire

1. Recherchez d'autres illustrations de l'arche de Noé.
2. Décrivez ou dessinez un naufrage (ou un sauvetage en mer).
3. Dessinez ou décrivez une cité idéale inconnue ou disparue.

❖ Descente aux Enfers !

La descente aux Enfers est un thème fréquent dans la littérature gréco-romaine et, parfois, dans la littérature française : un homme encore vivant découvre ainsi le monde des morts. Ce thème prend dès lors une signification philosophique ou religieuse. Car rencontrer les morts, c'est en fin de compte s'interroger sur la finalité de la vie.

Documents :

❶ Extrait de *L'Odyssée* d'Homère (VIIIe siècle avant notre ère), chant XI, vers 29-43, traduction de Frédéric Mugler, Larousse, 2008.

❷ Extrait de *L'Énéide* de Virgile (19 avant notre ère, publication posthume), livre VI, vers 268-300, traduction de Stavroula Kefallonitis et Olivier Balazuc, Larousse, 2009.

❸ Extrait des *Aventures de Télémaque* de Fénelon (1701), livre XIV.

❹ « L'Enfer », miniature du XVIe siècle.

❺ « La descente d'Énée aux enfers », gravure anonyme du XVIIIe siècle.

❻ « La bouche de Léviathan », miniature extraite du *Psautier* de Henri de Blois, XIIe siècle.

❶ *Sur les conseils de la magicienne Circé, Ulysse descend aux Enfers consulter l'« ombre » du grand devin Tirésias.*

« J'invoquai longuement les morts, ces têtes impalpables,
Promettant qu'une fois rentré, je leur sacrifierais
Ma plus belle génisse[1] en un bûcher rempli d'offrandes,
Et promettant au seul Tirésias de lui offrir
Un grand bélier bien noir, le meilleur de tout mon troupeau.
Quand j'eus prié et invoqué le peuple des défunts[2],

---

1. **Génisse :** jeune vache.
2. **Le peuple des défunts :** le peuple, la foule des morts.

Je saisis les deux bêtes[1], puis je leur tranchai la gorge
Sur le trou ; le sang noir coula ; et du fond de l'Érèbe[2],
Alors, les âmes des défunts s'approchèrent en foule :
Jeunes femmes, adolescents, vieillards chargés d'épreuves,
Tendres vierges portant au cœur leur tout premier chagrin,
Hommes sans nombre transpercés par le bronze des lances,
Guerriers tués et recouverts de leurs armes sanglantes.
À l'entour de la fosse, ils venaient de partout, en masse,
Avec d'horribles cris, et moi, je verdissais de peur. »

❷ *Accompagné de la prêtresse Sibylle, Énée descend aux Enfers pour savoir ce que sont devenus son père Anchise et ses compagnons troyens, et avant tout pour connaître son avenir.*

Ils allaient, comme des ombres, sous la nuit solitaire, à travers l'obscurité, à travers les demeures désertes de Dis[3] et son royaume de simulacres[4] ; ainsi, par une lune incertaine, sous une lumière mauvaise, on chemine dans les bois, lorsque Jupiter a enseveli le ciel dans l'ombre, et que la nuit noire a ravi la couleur des choses. Devant l'entrée elle-même, dans les premiers passages étroits de l'Orcus[5], le Deuil et les Remords vengeurs ont fait leurs lits. C'est là qu'habitent les Maladies blêmes, la triste Vieillesse, la Peur et la Faim mauvaise conseillère, la hideuse Pauvreté, formes terribles à voir, et la Mort et la Peine ; puis le Sommeil, frère de la Mort, et les Joies mauvaises de l'âme et, sur le seuil en face, la Guerre meurtrière, et les loges de fer des Euménides et la Discorde furieuse, avec sa crinière de vipères nouées de bandelettes sanglantes. [...]

Une voie du Tartare[6] mène aux ondes de l'Achéron[7]. C'est un gouffre tourbillonnant de boue qui, dans un vaste tournoiement, bouillonne et vomit tout son sable dans le Cocyte. Un passeur

1. **Les deux bêtes :** il s'agit de bêtes offertes en sacrifice.
2. **L'Érèbe :** les ténèbres des Enfers.
3. **Dis :** divinité infernale, souvent identifiée au Pluton des Grecs.
4. **Simulacres :** illusions, faux-semblants.
5. **Orcus :** nom du séjour des morts.
6. **Tartare :** partie des Enfers où sont châtiés les grands criminels.
7. **L'Achéron :** fleuve que les âmes doivent traverser sur une barque conduite par Charon pour atteindre le monde des Morts.

effrayant, d'une saleté repoussante, garde ces eaux et ces fleuves : c'est Charon.

❸ *Après bientôt dix ans d'absence, le Grec Ulysse n'est toujours pas revenu chez lui, à Ithaque, de la guerre de Troie. Est-il mort ? captif ? Son fils Télémaque part à sa recherche. Le voici sondant les Enfers.*

Il aperçoit bientôt près de lui le noir Tartare : il en sortait une fumée noire et épaisse, dont l'odeur empestée donnerait la mort si elle se répandait dans la demeure des vivants. Cette fumée couvrait un fleuve et un tourbillon de flamme, dont le bruit, semblable à celui des torrents les plus impétueux quand ils s'élancent des plus hauts rochers dans le fond des abîmes, faisait qu'on ne pouvait rien entendre distinctement dans ces tristes lieux.

Télémaque, secrètement animé par Minerve[1], entre sans crainte dans ce gouffre. D'abord il aperçut un grand nombre d'hommes qui avaient vécu dans les plus basses conditions, et qui étaient punis pour avoir cherché les richesses par des fraudes, des trahisons et des cruautés. Il remarqua beaucoup d'impies[2] hypocrites, qui, faisant semblant d'aimer la religion, s'en étaient servis comme d'un beau prétexte pour contenter leur ambition. [...] Auprès de ceux-ci paraissaient d'autres hommes, que le vulgaire[3] ne croit guère coupables, et que la vengeance divine poursuit impitoyablement : ce sont les ingrats, les menteurs, les flatteurs qui ont loué le vice.

---

1. **Minerve :** déesse de la Sagesse et de la Raison, protectrice de Télémaque.
2. **Impies :** sacrilèges.
3. **Le vulgaire :** les gens simples.

4

Textes et images

5

7. Vüe d'Optique nouvelle, representant,
la descente d'Œnée aux Enfers, avec le Palais de Pluton dans l'éloignement.

Pour approfondir

6

Pour approfondir

✣ Étude des textes

Savoir lire

1. Dans le texte 1, comment comprenez-vous le vers suivant : « Tendres vierges portant au cœur leur tout premier chagrin » ?
2. Que signifient les majuscules dans le texte 2 ?
3. Quelle est, dans le texte 3, la fonction des Enfers ?

Savoir faire

1. Renseignez-vous sur le mythe d'Orphée qui, lui aussi, fit un voyage aux Enfers.
2. De quelle façon sont suggérées l'horreur et l'épouvante ?
3. Faites le portrait de Charon, le passeur (texte 2).

✣ Étude des images

Savoir analyser

1. Comment sont représentées les souffrances de l'enfer (image 1) ?
2. Quelle la particularité du chien Cerbère (image 2) ?
3. Quelle est la particularité de Léviathan (image 3) ?

Savoir faire

1. Recherchez d'autres illustrations, anciennes ou modernes, de l'enfer.
2. Dessinez ou décrivez le palais de Pluton, dieu des Enfers (qui se trouve en arrière-plan dans l'image 2).
3. Dessinez ou décrivez un monstre marin.

Langue et langages

Exercice 1 : depuis « Toi et moi allons nous battre » (chapitre 6, p. 33) jusqu'à « Le mur trembla » (p. 34).

1. Donner la fonction de « provocateur » (l. 105, p. 33).
2. Analysez la forme verbale : « on ne le prendrait plus » (l. 107, p. 33).
3. Analysez le groupe nominal : « Gilgamesh plus grand qu'Enkidou, Enkidou plus trapu que Gilgamesh » (l. 119-120, p. 33).
4. Relevez les différentes expressions de la comparaison.
5. Relevez les verbes employés au passé simple de l'indicatif.
6. Analysez la proposition : « que n'avait pas Enkidou » (l. 125, p. 33).
7. Relevez les diverses expressions du temps.
8. Analysez la phrase suivante : « Terrible serait sa vengeance s'il venait à remporter le combat » (l. 129-130, p. 33).
9. Relevez les verbes à l'impératif.
10. Recherchez des synonymes du mot « stature ».
11. Donnez la nature et la fonction de l'expression : « emporté par son élan » (l. 125, p. 33).
12. Analysez la forme verbale « se détendant » (l. 138, p. 34) et « se déplaçant » (l. 143, p. 34).
13. Analysez la proposition : « si rapidement qu'on ne sut plus qui portait les coups les plus nombreux et les plus rudes » (l. 141-142, p. 34).
14. Quel est le sens de l'expression : « tout fou qu'il était » (l. 108, p. 33) ?
15. Du haut du ciel où il habite, le dieu Anou observe le combat. En tenant compte du contexte (c'est lui qui a suscité en Enkidou un

rival pour Gilgamesh), décrivez ses réactions (pensées, gestes, dialogue avec un autre dieu, le cas échéant…).

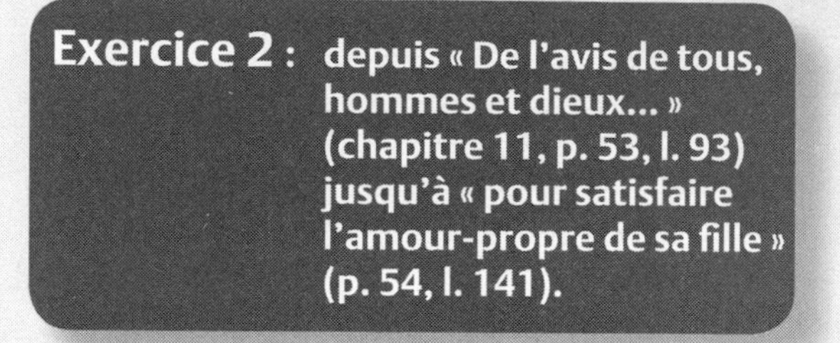

Exercice 2 : depuis « De l'avis de tous, hommes et dieux… » (chapitre 11, p. 53, l. 93) jusqu'à « pour satisfaire l'amour-propre de sa fille » (p. 54, l. 141).

1. Justifiez l'inversion du verbe et du sujet dans la phrase suivante : « Aussi ne doutait-elle pas de son pouvoir de séduction… » (l. 94-95, p. 53).
2. Donnez la nature et la fonction de « quel » dans : « Quel ne fut donc pas son étonnement » (l. 96, p. 53).
3. Donnez la fonction de « Empoisonné ! » (l. 103, p. 53).
4. Donnez la nature et la fonction de « cet autre » (l. 103-104, p. 53).
5. Donnez la nature et la fonction de « qui » dans : « Qui serait assez fou… » (l. 98, p. 53).
6. Analysez la proposition suivante : « comme pour se draper dans une dignité offensée » (l. 110-111, p. 54).
7. Recherchez des synonymes de « prétendus » (l. 117, p. 54).
8. Analysez « dont » dans la phrase suivante : « une des ces colères dont elle avait la spécialité » (l. 127-128, p. 54).
9. Donnez la nature et la fonction de « pire » dans la phrase suivante : « L'animal était pire qu'un monstre » (l. 133, p. 54).
10. Recherchez des synonymes de l'adjectif qualificatif « opulente » (l. 138, p. 54).

11. Comment comprenez-vous la phrase suivante : « Même l'opulente Ourouk n'avait pas tant de réserves dans ses greniers » (l. 137-138, p. 54).
12. Qu'est-ce qu'une métamorphose (l. 105, p. 53) ?
13. Relevez le champ lexical animalier.
14. Racontez à votre tour une scène de vengeance (motif, nature, conséquence).
15. Faites le portrait du Taureau céleste.

Exercice 3 : depuis « Au moment de fermer l'écoutille, tu n'imagines pas » (chapitre 18, p. 82, l. 54) jusqu'à « Le sommet du mont Niçir ! » (p. 84, l. 101).

1. Analysez la phrase suivante : « Au moment de fermer l'écoutille, tu n'imagines pas quels sentiments déchirèrent mon cœur, quelles pensées combattirent dans ma tête » (l. 54-56, p. 82).
2. Analysez « alors que » dans le segment de phrase suivant : « alors que je me sauvais » (l. 57, p. 82).
3. Donnez la nature et la fonction de « l' » dans la phrase suivante : « La profusion de poissons, c'est au-dessus de leurs têtes qu'ils allaient l'avoir ! » (l. 60-61, p. 83).
4. Relevez les diverses façons d'exprimer le lieu.
5. Recherchez des synonymes de « précipitation » (l. 90, p. 83).
6. Analysez « il » dans la phrase suivante : « il n'appartient à aucun homme de contester les décisions des dieux » (l. 64-65, p. 83).
7. Donnez la fonction du groupe nominal « à son habitude » (l. 87, p. 83).

Langue et langages

8. Analysez la phrase : « Qui lui ferait la cour maintenant qu'il n'y avait plus d'humains ? » (l. 88-89, p. 83).
9. Relevez les diverses façons d'exprimer le temps.
10. Comment comprenez-vous l'expression : « les quatre côtés de la mer » (l. 100, p. 84) ?
11. Décrivez la vie à l'intérieur du bateau pendant le Déluge.

Outils de lecture

Anthropomorphisme : tendance à concevoir la divinité à l'image de l'homme.

Apothéose : déification d'un héros après sa mort.

Arche (de Noé) : vaisseau fermé qui permit à Noé et à tous les animaux qu'il embarqua d'échapper au Déluge.

Archéologie : étude des arts et des monuments des civilisations anciennes.

Are : unité de mesure de surface agraire équivalant à 100 mètres carrés.

Audience : entretien accordé par une personnalité, par un supérieur.

Déluge : disparition de toute la terre sous les eaux.

Écriture cunéiforme : écriture formée de signes en fer de lance ou en clous, que pratiquaient, dans l'Antiquité, les Assyriens, les Sumériens, les Mèdes et les Perses.

Épicurisme : dans son sens courant, nom d'une philosophie qui propose de jouir de l'instant qui passe et du bonheur de vivre.

Épopée : poème où, par le biais du merveilleux, l'histoire se mêle à la légende et qui exalte, à travers un héros, une aventure collective.

Euphrate : fleuve qui traverse la Syrie et rejoint le Tigre, en Irak.

Exorciste : prêtre chargé de chasser les démons et les mauvais esprits.

Expiation : au sens religieux, souffrance imposée ou acceptée en réparation d'une faute commise. Par extension : toute forme de réparation.

Libation : sacrifice qui consistait à répandre du vin, de l'huile, du lait et, parfois, du sang en l'honneur d'une divinité.

Merveilleux : tout ce qui, dans une œuvre littéraire, fait intervenir des êtres surnaturels, des opérations magiques ou des éléments féeriques.

Mésopotamie : région située entre l'Euphrate et le Tigre et correspondant en majeure partie à l'actuel Irak.

Métamorphose : changement d'une forme en une autre (d'un animal en être humain, d'un être humain en animal...).

Outils de lecture

Métaphore : figure de style consistant à établir un rapport d'analogie, de ressemblance, entre deux réalités différentes, mais sans recourir explicitement à un terme de comparaison. Par exemple : « l'azur de tes yeux » [= tes yeux sont bleus comme l'azur].

Mythologie : étude des légendes et mythes propres à un peuple, à une civilisation.

Nocher : pilote d'un bateau.

Ourouk : ville-royaume de basse Mésopotamie sur laquelle règne Gilgamesh.

Personnification : procédé qui consiste à présenter comme un être animé, comme une personne, une chose ou une abstraction.

Polythéisme : fait de croire en l'existence de plusieurs dieux.

Prologue : texte introductif à un récit.